Gedichte über die Liebe

Bertolt Brecht
Gedichte über die Liebe

Ausgewählt von Werner Hecht

Suhrkamp Verlag

Sehet die Jungfraun
und sehet die Blüte!
Seht sie am Morgen
im herrlichen Mai!
Betet zu Gott,
daß er sie behüte
Ist sie gepflückt,
dann ist sie vorbei.

Melindas Lied

Chloë saß an einem Bach
Aus dem Schlehdorn trat Achill
Fragte sie der Held, ob sie ihn, ach
Lieben will?
　　Sah das Mädchen fürchtesam ihn an
　　Und verbarg im Klee das Angesicht.
　　Sprach der Held und staunte: »Mädchen, dann
　　Gefällt dir wohl mein güldner Küraß nicht?«

Wandte sich zum Gehn Achill
Und es rauschte hell der Bach
Und im Dorn die Vöglein wurden still –
Sprach sie: »Ach.«
　　Sprach das Mädchen: »Ach, wie leicht doch ficht
　　Es sich gegen Löwe, Hirsch und Pfau!
　　Ach, dein güldner Küraß ist es nicht
　　Gefallen könnt mir deiner Augen Blau.«

Goldene Früchte hängen
Uns in die Hände
In den dunklen Laubengängen
Kirren von Mädchengekicher die astigen Wände.

Wenn ich in den Büschen warte
Leuchtet dein Jäcklein schon
Wie die rote Standarte
Einer Prozession.

Wind läutet in toten
Bäumen die Abendstund
Ich küsse deinen roten
Warm lebenden Mund.

Laß auch das Gras bedeuten
O Herr, in deinem Wind
Wenn nach dem Vesperläuten
Die Felder ruhig sind.

Die Vögel in dem Laube
Sind aus mit ihrem Schrein
Der Laute wie der Taube
Schläft nun mit einem ein.

Mein Hals im Gras, dem blauen
Fühlt kühler deine Erd
Die Sterne sind in Haufen
Zu mir zurückgekehrt.

Lied von Liebe

Heider Hei saß bei Tine Tippe im Gras
Und helle Sonne schien
Da bat der Hei die Tine um was –
Und sie lachte sehr über ihn.
Und sie lachte sehr über ihn.

Das Pflaumenlied

Als die Pflaumen reif geworden
Zeigt im Dorf sich ein Gespann
Früh am Tage, aus dem Norden
Kam ein schöner junger Mann.

Als wir warn beim Pflaumenpflücken
Legte er sich in das Gras
Blond sein Bart, und auf dem Rücken
Sah er zu, sah dies und das.

Als wir eingekocht die Pflaumen
Macht er gnädig manchen Spaß
Und er steckte seinen Daumen
Lächelnd in so manches Faß.

Als das Pflaumenmus wir aßen
War er lang auf und davon
Aber, glaubt uns, nie vergaßen
Wir den schönen jungen Mann.

Der Fluß lobsingt die Sterne im Gebüsch!
Geruch von Pfefferminz und Thymian!
Ein kleiner Wind macht unsre Stirnen frisch
So hat es Gott uns Kindern angetan
Das Gras ist weich: das Weib ohn Bitternis
Die schönen Weiden machen alles froh:
Heut ist die Lust den Willigen gewiß:
Es ist zum Nimmerwiederfortgehn so.

Dunkel im Weidengrund
Orgelt der Wind
Und weil die Mutter ruft
Macht sie's geschwind . . .

Wolken am Himmel und
Orgelnder Wind:
Weil es schon dunkel ist
Tut sie es blind.

Weil es im Gras naß und
Kalt ist darin:
An einem Weidenstrunk
Gibt sie sich hin.

Wenn rot der Neumond hängt
Im Weidenwind:
Schwimmt sie im Fluß schon ab:
Jungfrau und Kind.

Psalm im Frühjahr

1. Jetzt liege ich auf der Lauer nach dem Sommer, Jungens.

2. Wir haben Rum eingekauft und auf die Gitarre neue Därme aufgezogen. Weiße Hemden müssen noch verdient werden.

3. Unsere Glieder wachsen wie das Gras im Juni und Mitte August verschwinden die Jungfrauen. Die Wonne nimmt um diese Zeit überhand.

4. Der Himmel füllt sich Tag für Tag mit sanftem Glanz und seine Nächte rauben einem den Schlaf.

Liebeslied

Man muß schon Schnaps getrunken haben
Eh man vor deinem Leibe stand
Sonst schwankt man ob der trunknen Gaben
Von schwachen Knien übermannt.

O du, wenn im Gesträuche kreisend
Der Wind die Röcke flattern läßt
Und man, das weiche Tuch zerreißend
Die Knie zwischen deine preßt.

Den Abendhimmel macht das Saufen
Sehr dunkel, manchmal violett.
Dazu dein Leib im Hemd zum Raufen
In einem breiten weißen Bett.

Die Wiese schwankt nicht nur vom Trinken
Wenn man in deinen Knien liegt.
Der dunkle Himmel will versinken
Indem er sanft sich schneller wiegt.

Und deine weichen Knie schaukeln
Mein wildes Herz in deine Ruh
Und zwischen Erd und Himmel schaukeln
Wir leichtgeschwellt der Hölle zu.

Tanzlied

Teddy sagt, sie kann nun einmal nicht so spröde sein
Ei, da stecke sie schon lieber einen Kuß noch ein.
Ja, das glaube, wer kann
Und mag, meine Herrn
Schwamm drüber, selig wird jeder gern.

Teddy sagt vom Intimsein, wenn dies öffentlich sei
Ei, da säh es ja jeder, und da sei nichts dabei.
Ja, das glaube, wer kann
Und mag, meine Herrn
Schwamm drüber, selig wird jeder gern.

Als ich ging nach Saint-Nazaire
Kam ich ohne Hosen.
Gab es gleich ein groß Geschrei:
Wo sind deine Hosen?
Sagt ich: Dicht vor Saint-Nazaire
Ist zu blau der Himmel
Und der Hafer ist zu hoch
Und zu blau der Himmel.

Die Jungfraunballade

Sehet die Jungfraun und sehet die Blüte!
Seht sie am Morgen im herrlichen Mai!
Betet zu Gott, daß er sie behüte
Ist sie gepflückt, dann ist sie vorbei.
Bist du gepflückt, dann laß dich begraben
Denn jetzt verfaulst du. Ach, wenn's ihr gelingt
Ist sie für 7 Pennies zu haben
Vor sie zertreten wird, faul wird und stinkt.

Was brauchen den Dirnen die Stirnen breit sein
Viel besser, die Hüften sind breit.
Es kommt mehr heraus, und es geht mehr hinein
Und das fördert die Seligkeit.

Komm, Mädchen, laß dich stopfen
Das ist für dich gesund.
Die Dutten werden größer
Der Bauch wird kugelrund.

Durch die Kammer ging der Wind
Blaue Pflaumen fraß das Kind
Vor es seinen weißen Leib
Hingab still zum Zeitvertreib.

Doch zuvor bewies sie Takt
Denn sie wollte ihn nur nackt.
Einen Leib wie Aprikosen
Vögelt man nicht in den Hosen.

Wirklich bei dem wilden Spiel
War ihr keine Lust zuviel.
Danach wusch sie sich gescheit:
Alles hübsch zu seiner Zeit.

Liebe Marie, Seelenbraut:
Du bist viel zu eng gebaut.
Eine solche Jungfernschaft
Braucht nur zu viel Manneskraft.

Ich vergieße meinen Samen
Immerdar schon vor der Zeit:
Wohl nach einer Ewigkeit
Aber lange vor dem Amen.

Liebe Marie, Seelenbraut:
Deine dicke Jungfernhaut
Bringt mich noch zur Raserei:
Warum bist du auch so trei?

Warum soll ich, sozusagen:
Nur weil du lang sitzen bliebst
Grade ich, den du doch liebst
Mich statt einem andern plagen?!

Schöne Nelke an dem Busen
Du bist nicht für uns erblüht
Ach, die Welt hat nur Verachtung
Für ein zarteres Gemüt.

2

Eine dünne, rote Binde
Um den Hals als wie ein Blut
Das verlockt ein Kind zur Sünde
Daß sie's schon im Hausgang tut.

3

Einen Adamsapfel triebe
Mancher feine Herr gern auf
Dieser setzt so oft der Liebe
Erst die letzte Weihe auf.

4

Geh ma zua, die seidenen Socken
Man soll halt nichts übertreibn!
Ist sie so a fade Nocken
Wenns net so mag, laßt sie's bleibn.

Beuteltier mit Weinkrampf
(An Bez)

Zwischen kahlen Wänden, Kerzenlicht und Bier
Heigei Gei und das Beuteltier.
Stopft sie in ihn Reis und Tomatensoß
Schnurrt er wie ein Kater, sorgenlos.
Rohe Eier und Fromage de Brie:
Weißer werden ihre weißen Knie.
Weiche Hände und geblähter Wanst:
Vorher frißt du, daß du besser kannst.
Bläst die Dame dann die Kerze aus
Lockt das Mensch ihn in den Liebesgraus.

Zwischen kahlen Wänden, abendbleich
Schwimmt er lauwarm (still!) in ihrem Teich.
In den abgestandnen Weichteil gießt
Er den Samen, bis er überfließt.
Oftmals kriecht in die Kloake »Zu den vier
Himmelsrichtungen« sein kleines Tier.
Gegen Mitternacht erst wird ihm freier
Und er taucht aus ihrem alten Weiher
Über dem kein schöner Stern erglänzt.
Und er geht hinaus wie ein Gespenst.

Und im Sternenlicht, in kühlem Wind
Wandelt Heigei Gei, das Waisenkind.
Bleich und zitternd wie der gute Hirt
Daß sein nasses Hemd getrocknet wird.
Doch dieweil das Scheusal promeniert
Wird ein Schauspiel drinnen aufgeführt:
Wild im Weinkrampf wälzt das Beuteltier
Sich in kahlen Wänden, Kerzenlicht und Bier.
Denn jetzt ist der Uterus erschlafft
Und man weint nach seiner Jungfernschaft.

Orgelt Heigei Gei sein Kyrieleis
Bei Vermeidung des geringsten Lichts
Die Marianne mit dem weißen Steiß
Lächelt lieblich doppelten Gesichts.

Und sie lächelt stets, wenn er sie liebt
Wie durch Seetang fließen weißgebaucht
Dicke Fische, die es gar nicht gibt
Wenn er sie im Bett zusammenhaucht.

Und er liebt sie manchmal siebenmal
Durch und durch. Doch nie ist sie gestillt
Schwanger wünscht sie, fischlaichangefüllt
Sanftgeblähter seinen Marterpfahl.

Morgen auf dem Berg Ararat

1

Frühe, noch in derselbigen Nacht, erhob ich mich aus
ihrem Bette, wie von Tauben beschmutzt, und segelte los.
Ich ging vorsichtig, meine Lieben, auf Säbelbeinen, wie
eine Schaluppe vor dem Wind mit zu großem Segel,
todmüde lief ich umher wie ein kleiner Igel, der Überrest
einer stolzen Nacht.

2

Als ich wiederkam, mit Wind geladen, schlief sie noch,
wie eine Leiche über den Tüchern, schwarze Luft hing
zwischen den Wänden, von dem Geruch der Liebe
gesättigt. Ich rauchte eine Havanna.

Das gute Zeitalter

Vis-à-vis
Meiner roten Jalousie
Hatte ich, als Gott mich noch liebte, ein Zifferblatt
Ich spielte immer Karten und rauchte viel Tabak
Und die Squaw war immer kuhwarm und versteckt
    der Thomawhak
Abends Trinken in der Cherry-Brandy-Kneipe
Gegen elf Uhr ging ich leicht zum Weibe
Und entschlief gen zwölf, im Fleische matt.

Keuschheitsballade in Dur
oder
Der Jüngling und die Jungfrau

Ach, sie schmolzen fast zusammen
Und er fühlte: sie ist mein.
Und das Dunkel schürt die Flammen.
Und sie fühlte: wir sind allein.
Und er küßte ihr die Stirne
Denn sie war ja keine Dirne
Und sie wollte keine sein.

Oh, das süße Spiel der Hände!
Oh, ihr Herz ward wild wie nie!
Daß er die Kurasche fände
Betet er und betet sie.
Und sie küßte ihm die Stirne
Denn sie war ja keine Dirne
Und sie wußte nur nicht wie . . .

Und um sie nicht zu entweihen
Ging er einst zu einer Hur
Und sie lernte ihm das Speien
Und die Feste der Natur.
Immerhin ihr Leib war Lethe
Bisher war er kein Askete
Jetzt erst tat er einen Schwur.

Um zu löschen ihre Flammen
Die er schuldlos ihr erregt
Hängt sie sich an einen strammen
Kerl, der keine Skrupel hegt.
(Und der haute sie zusammen
Auf die Treppe hingelegt.)
Immerhin, sein Griff war Wonne
Und sie war ja keine Nonne
Jetzt erst war die Gier erregt.

Und er lobte sein Gehirne
Daß es klug gewesen sei:
Als er sie nur auf die Stirne
Einst geküßt im sel'gen Mai –
Er als Mucker, sie als Dirne
Sie gestehn, Scham auf der Stirne:
Es ist doch nur Sauerei.

Und als sie wegsah in das Violette
Ging ich mit durchgeschnittnen Knien fremd
Die Stiegen abwärts, doch in meinem Bette
Ist nun kein Schlaf für mich mehr, der mich rette
Da hüllt ich meinen Leib ins frische Hemd.

Der Himmel war wie Milch. Ich dachte kühl.
Und lachte mit den Gliedern, die ermattet waren.
Und dann war nichts zu tun. Ich bin von früh
Bis spät den Mississippi abgefahren.

Gegen Abend mußte ich weinen.
Da war mein Totenhemd
Von Tränen aufgeschwemmt
Und ich schlief nackt statt zwischen ihren Beinen
Unter dem Großen Bär auf kalten Steinen.

Von dem Gras und Pfefferminzkraut

Ich habe den Geschmack von Pfefferminzkraut
Auf meiner Zunge und Geruch vom Grase
Ich liege in den Brennesseln zum Spaße
Und wälze mich auf Fetzen meiner rohen Haut.

Ich hab das Schilf am kleinen Fluß zerkaut.
Und mit den dicken Steinen Unzucht getrieben
Als ich keine Haut mehr hatte von dem Lieben
Habe ich den kleinen Himmel angeschaut.

Ich kenne dieses Gras in meinem Hosensack
Von Jugend auf. Und als es noch klein war.
Es kratzte mir die Haut oft im Genack
Und wuchs viel schneller als mein eigen Haar.

Ich sah es Unzucht treiben schon im Kindesalter
(Es war ein wunderbarer schwarzer Falter.)
Wir standen gut zusammen, jedenfalls.
Es liebte lang und lang nur meinen Hals.

Oh, du ahnst nicht, was ich leide
Seh ich eine schöne Frau
Die den Steiß in gelber Seide
Schwenkt im Abendhimmelblau.

Was druckt es keiner von euch in die Zeitung
Wie gut das Leben ist! Maria Hilf:
Wie gut ist Schiffen mit Klavierbegleitung
Wie selig Vögeln im windtollen Schilf!

Baals Lied

Hat ein Weib fette Hüften
Tu ich sie ins grüne Gras.
Rock und Hose tu ich lüften
Sonnig – denn ich liebe das.

Beißt das Weib vor Ekstase
Wisch ich ab mit grünem Gras
Mund und Biß und Schoß und Nase:
Sauber – denn ich liebe das.

Treibt das Weib die schöne Sache
Feurig, doch im Übermaß
Geb ich ihr die Hand und lache:
Freundlich, denn ich liebe das.

Es wird von einem Vorbild gesprochen

Bei einer andern müßte sich einer nicht vom Kanapee erheben
Die stillt einem seine Tee- und Limonadendürste
(Halbgrün mit Eis), die ist praktisch im Leben
Die Anna wäscht sich dort unten zum Beispiel immer mit einer
    Zahnbürste.

Bei der Anna hat noch keiner je aufstehen müssen
Um etwas Kleines zu trinken auf seinem Kanapee
Wenn man daliegt wie ein Leichnam – der Teufel mag wissen
Wo die den Schnaps herschaffte für diesen Tee.

Und das ist ja auch nur in der Ordnung und nichts als nur billig
Wenn der Mann sozusagen daliegt, todmüd von dem ganzen
Daß da die Frau sich erkenntlich zeigt, und nicht nur ihr Fleisch
    ist willig.
In solchen Momenten ekelt es einfach den gesunden Mann
    vor so faulen Pflanzen.

Und wer ist denn eigentlich sozusagen schuld, daß der Mann
    ausgepumpt ist
Und für wen ist das alles, wenn es nicht für die Weiber ist
Nur immer aus dem Vollen, ja, und wenn man dann endlich
    verlumpt ist
Dann schmeißt ihr einen mit seinen verdorrten Eiern halt
    auf den Mist.

Die Anna ließ einen auch einmal in Ruhe eine Pfeife rauchen
Und legte sich in Gottes Namen allein hin auf eigene Hand
Wenn sie mal noch Lust hatte, der hat man nicht immer das Hemd
    halten brauchen
Die nahm sich noch aus eigenem Antrieb eine japanische Wand.

Meine Herren, mein Freund, der sagte
Mir damals ins Gesicht:
»Das Größte auf Erden ist Liebe«
Und »An morgen denkt man nicht«.

Drittes Lied des Glücksgotts

Als die Braut ihr Bier getrunken
Gingen wir hinaus. Der Hof lag nächtlich.
Hinterm Abtritt hat's gestunken
Doch die Wollust war beträchtlich.

Als wir wieder drinnen saßen
In der Menge, alt und jung
Sang ich: Unterm grünen Rasen
Ist zu wenig Abwechslung.

Über die Vitalität

Die Hauptsache ist die Vitalität.
Die habt ihr nach Branntweingenuß
Ein gesundes junges Weib, das geht
Auf die Vitalität, weil es muß.

2

Die Weiber liegen zu Klumpen geballt
Die Peitsche nehmt ihr mit ihnen ins Bett!
Doch geht's auch im Grünen: das heißt, es geht halt
Mit der nötigen Vitalität.

3

Die Vitalität, die schafft es auch
Beim dümmsten Engel. Die Vitalität.
So daß er euch rasend auf seinem Bauch
Um die letzten Dinge anfleht.

4

Die Vitalität, sie befaßt sich nicht
Mit der Seele und dem Gemüt.
Sie befaßt sich mehr mit dem zweiten Gesicht.
Und dem Weib als Gestüt.

5

Der Vitalität sind die Folgen egal.
Die Vitalität macht sich alles bequem.
Es gibt keine Hemmung. Z. B. Baal
War als Mensch nicht angenehm.

Darum bitt ich Gott früh und spät
Um Vitalität.

Ballade von der menschlichen Stärke

Freilich gibt es Bitternis
Doch der Mensch ist stark gewiß
Weil er sie fast stets aushält.
Einst saß ich auf einem Feld.

Einen Bären kummergrau
Sah ich dort mit meiner Frau:
Schwanden für 'ne Viertelstund
In dem schwarzen Tannengrund.

In der grauen Morgenkält
Fand ich mich noch auf der Welt.
Und ich fand (wohl von dem Spaß)
Meine ganze Hemdbrust naß.

Wahre Ballade von einem Weib

Weil ich ihr nicht genug ins Hemde griff
Wiewohl ich's wahrlich oftmals machte, pfiff
Sie kalt dem nächsten Louis mit dickem Kopf
Der füllte grinsend ihr den Häutetopf.
Ich aber liege mit zerbrochener Nase
Verrückt und brüllend auf der schwarzen Straße.

Ein Jahr, so sagt sie allen, sei zu viel
Auch kriegt man Hängebrüste ohne Gliederspiel.
Mit einem Rücken sei sie halb nur und
Mit mir sei es doch nur ein Seelenbund.
Ich aber, weit entfernt jetzt von Emphase
Empfand: Es hängt mein Herz an diesem Aase.

Ihr ist es gleich, sie zeigt es unverhüllt
Ob sie der eine, ob der andre füllt.
Voll muß sie sein! Mich aber macht nicht keusch
Daß ich es weiß: so feil ist Weiberfleisch!
Ich kann dies feile Fleisch noch nicht verschmerzen:
So tief sitzt die Kanallje mir im Herzen!

Lied der liebenden Witwe

Ach, ich weiß, ich dürft es nie gestehen
Daß ich zittre, wenn mich seine Hand berührt
Ach, was ist mit mir geschehen
Daß ich bete, daß er mich verführt.
Ach, zur Sünde schleiften mich nicht hundert Pferde!
Wenn ich ihn nur nicht so sehr begehrte.

Wenn ich mich so gegen Liebe stemmte
Hab ich mich doch schließlich nur darum gestemmt
Weil ich weiß: steh ich vor ihm im Hemde
Bin ich ausgeplündert bis aufs Hemd.
Als ob er sich dann um meinen Vorwurf scherte!
Wenn ich ihn nur nicht so sehr begehrte.

Ich bezweifle, ob er meiner wert ist
Ob es wirklich Liebe bei ihm ist?
Wenn all mein Gespartes aufgezehrt ist
Wirft er dann die Schale auf den Mist?
Ach, ich weiß, warum ich mich so wehrte:
Wenn ich ihn nur nicht so sehr begehrte.

Hätte ich Vernunft für sieben Groschen
Hätt ich nie gewährt, um was er leider bat
Sondern hätte ihn sogleich verdroschen
Wenn er mir, wie es geschah, zu nahe trat.
Ach, wenn er sich doch zum Teufel scherte!
(Wenn ich ihn nur nicht so sehr begehrte.)

Katharina im Spital

Ich brauche einfach meinen geregelten Geschlechtsverkehr
Alles andere ist Seife.
Ich arbeite wie ein Pferd, bitte sehr
Mir ist nichts geholfen mit der sittlichen Reife.

Mir sagt der Arzt, ich kriege es sonst am Eierstock
Ich werde sowieso jeden Tag gelber.
Ich denke da ganz anders, lieber ein Ziegenbock
Als ich selber

Lied der verderbten Unschuld
beim Wäschefalten

1

Was meine Mutter mir sagte
Das kann wohl wahr nicht sein.
Sie sagte: Wenn du einmal befleckt bist
Wirst niemals du mehr rein.
    Das gilt nicht für das Linnen
    Das gilt auch nicht für mich.
    Den Fluß laß drüber rinnen
    Und schnell ist's säuberlich.

2

Mit elfen war ich sündig
Wie ein Dreihellerweib.
Und wirklich erst mit vierzehn
Kasteit ich meinen Leib.
    Das Linnen war schon gräulich
    Ich hab's in Fluß getaucht.
    Im Korbe liegt's jungfräulich
    Wie niemals angehaucht.

3

Bevor ich noch einen kannte
War ich gefallen schon.
Ich stank zum Himmel, wahrlich ein
Scharlachen Babylon.
    Das Linnen in dem Flusse
    Geschwenkt in sanftem Kreis
    Fühlet im Wellenkusse:
    Jetzt werd ich sachte weiß.

Denn als mich mein erster umarmte
Und ich umarmte ihn
Da fühlt ich aus Schoß und Busen
Die schlechten Triebe fliehn.
    So geht es mit dem Linnen
    So ging es auch mit mir.
    Die schnellen Wasser rinnen
    Und aller Schmutz ruft: Hier!

Doch als die andern kamen
Ein trübes Jahr anfing.
Sie gaben mir schlechte Namen
Da wurd ich ein schlechtes Ding.
    Mit Sparen und mit Fasten
    Erholt sich keine Frau.
    Liegt Linnen lang im Kasten
    Wird's auch im Kasten grau.

Und wieder kam ein andrer
In einem andren Jahr.
Ich sah, als alles anders war
Daß ich eine andre war.
    Tunk's in den Fluß und schwenk es!
    's gibt Sonne, Wind und Chlor!
    Gebrauch es und verschenk es:
    's wird frisch als wie zuvor!

7

Ich weiß: noch viel kann kommen
Bis nichts mehr kommt am End.
Nur wenn es nie getragen war
Dann war das Linnen verschwend't.
  Und ist es brüchig geworden
  Dann wäscht's kein Fluß mehr rein.
  Er spült's in Fetzen forten.
  So wird es einmal sein.

1

Meine Herren, meine Mutter prägte
Auf mich einst ein schlimmes Wort:
Ich würde enden im Schauhaus
Oder an einem noch schlimmern Ort.
Ja, so ein Wort, das ist leicht gesagt.
Aber ich sage euch: Daraus wird nichts!
Das könnt ihr nicht machen mit mir!
Was aus mir noch wird, das werden wir sehn!
Ein Mensch ist kein Tier!
Denn wie man sich bettet, so liegt man
Es deckt einen keiner da zu
Und wenn einer tritt, dann bin ich es
Und wird einer getreten, dann bist's du.

2

Meine Herren, mein Freund, der sagte
Mir damals ins Gesicht:
»Das Größte auf Erden ist Liebe«
Und »An morgen denkt man nicht«.
Ja, Liebe, das ist leicht gesagt:
Doch, solang man täglich älter wird
Da wird nicht nach Liebe gefragt
Da muß man seine kurze Zeit benützen.
Ein Mensch ist kein Tier!
Denn wie man sich bettet, so liegt man
Es deckt einen keiner da zu
Und wenn einer tritt, dann bin ich es
Und wird einer getreten, dann bist's du.

Seit meiner Kindheit galt es ungebührlich
Daß eines Weibes Hintern mich erhob
Was man auch sagt: als Mensch bin ich natürlich
Ein Weib versucht mich immer noch. Gottlob.

Selbst wenn man bessere Triebe weckte
Und räng sich meine Seele an das Licht
Und wenn ich auch mein Glied versteckte
Wie unkeusch ist schon mein Gesicht!

Man sagt, die Männer sind nur Lückenbüßer
Das Weib nimmt stets, was in den Schoß ihm fällt
Doch eine Brust angreifen ist halt süßer
Als alle Achtung nachgeborner Welt.

Wenn's einer Hur gefällt, Herr
Die stiehlt euch nebenbei
Gesundheit, Zeit und Geld, Herr
Und sagt: Ich bin so frei.
Und eure Tochter läßt, Herr
Euer Bettuch mit sich gehn
Die Mutter stiehlt den Rest, Herr
Es fragt sich nur, für wen.

1

Wenn sie trinkt, fällt sie in jedes Bett
Wenn sie nicht trinkt, läßt sie keinen ran
Denn sie sagt: sie braucht nur einen Mann
Und der Mann bin ich. Das ist sehr nett
Schade, daß sie da nichts machen kann:
Wenn sie trinkt, fällt sie in jedes Bett.

2

Es ist wirklich mit ihr ein Gfrett
Denn man weiß es in der ganzen Stadt.
Dabei hat der, der sie einmal hat
Lang bei ihr noch keinen Stein im Brett.
Ganz im Gegenteil: sie ist ihn satt
Wenn sie trinkt, fällt sie in jedes Bett.

3

Schließlich, sagt sie, bin ich auch kein Brett.
Gott sei Dank ist sie soweit gesund . . .
Nur das eine wird mir bald zu bunt:
Sieht sie einen, den sie gerne hätt
Fängt sie leider an zu trinken – und
Wenn sie trinkt, fällt sie in jedes Bett.

Und ich schlug der alten Schlumpen
In die Fresse, daß es krachte
Und dabei sah ich den Lumpen
Den ich liebte und der lachte!

Und für alles dies bekam sie Hiebe –
Sagt' ich ihr, daß sie sich schämen solle
Sagte sie: das sei die wahre Liebe
Und die Kosten spielten keine Rolle.

Unten sei etwas an ihrem Bauche
Was ihn einfach unaufhörlich wolle.
Sagt' ich ihr, daß sie sich schämen solle
Sagte sie, daß sie das eben brauche
Und die Kosten spielten keine Rolle.

Sonett über einen durchschnittlichen Beischlaf

Bis ich dich endlich übern Stuhle habe
Hoff ich, du seist endlich die ausgesiebte
Und etwas nässer als die, die ich liebte.
(Es pflanzt die Hoffnung, ach, uns noch am Grabe!)

Ich seh: es geht. Ich hoffe: nicht zu schnell!
Von nun an denk ich immer nur an *ihn*!
(Gut: weniger Lieb und weniger Vaselin)
Dafür bricht der jetzt Schweiß aus ihrem Fell!

Ach, du verglichst mich schon mit einem Pferde
Vor fünf Minuten! Wie ich darauf scheiße!
Dieweil ich sinne, wie ich fertig werde
Nennst du mich Emil, der ich nicht so heiße!

Dies alles ist in höhrem Sinne schnuppe
Im Schweiß des Antlitz' koch ich meine Suppe!

Das neunte Sonett

Als du das Vögeln lerntest, lehrt ich dich
So vögeln, daß du mich dabei vergaßest
Und deine Lust von meinem Teller aßest
Als liebtest du die Liebe und nicht mich.

Ich sagte: Tut nichts, wenn du mich vergißt
Als freutest du dich eines andern Manns!
Ich geb nicht mich, ich geb dir einen *Schwanz*
Er tut dir nicht nur gut, weil's meiner ist.

Wenn ich so wollte, daß du untertauchst
In deinem eignen Fleische, wollt ich nie
Daß du mir eine wirst, die da gleich schwimmt
Wenn einer aus Versehn hinkommt an sie.
Ich wollte, daß du nicht viel Männer brauchst
Um einzusehn, was dir vom Mann bestimmt.

Ballade von der Traurigkeit der Laster

Wärt ihr mit in die südlichen Häfen gekommen
Hierher läuft doch alles zur Wette, was hinkt
Wär euch wie mir jetzt die letzte Hoffnung genommen
Da uns hier nichts als die Freiheit winkt.

Dies ist der Schiffe erwünschtes Gewimmel
Und dies ist ihr Himmel, er ist auch so grün
Und er ist auch so strahlend noch wie der Himmel
Als Kain und Abel noch jung waren, schien.

Aber dies ist auch alles. Du weißt es
Sofort wenn du's siehst – und was wünschst du dir jetzt?
Dies *ist* schon dein Himmel. Und von dem heißt es
Der läßt dich vergessen, was je dich verletzt!

Woher immer dein Schiff kam – am goldenen Riffe
»Unsrer lieben Frau vom Bahnhof« zerschellte
Hier endet die Onanie der Schiffe
Und beginnt die Onanie der Bordelle.

Alsbald beginnt ihr wieder zu saugen
Für 20 Sous ein Glas Anarchie
Und seht euer Leben vor euren inneren Augen
Wie eine alte verregnete Filmkopie.

In den wilden Nächten, an die sie glaubten
Von Moabit bis zum Goldenen Tor
Führen Fosen ihnen den erlaubten
Unsäglich mühvollen Beischlaf vor.

Zwei alte Fräulein mit Charakterköpfen
Einen halben Meter Penis vorgeschnallt
Glauben tierisch ernsthaft euch zu schröpfen
Wenn sie euch erinnern an den deutschen Wald.

Über den Verfall der Liebe

Ihre Mütter haben mit Schmerzen geboren, aber ihre Frauen
Empfangen mit Schmerzen.

Der Liebesakt
Soll nicht mehr gelingen. Die Vermischung erfolgt noch, aber
Die Umarmung ist eine Umarmung von Ringern. Die Frauen
Haben den Arm zur Abwehr erhoben, während sie
Von ihren Besitzern umfangen werden.

Die ländliche Melkerin, berühmt
Wegen ihrer Fähigkeit, bei der Umarmung
Freude zu empfinden, sieht mit Spott
Auf ihre unglücklichen Schwestern in Zobelpelzen
Denen jedes Lüpfen des gepflegten Hinterns bezahlt wird.

Der geduldige Brunnen
Der so viele Geschlechter getränkt hat
Sieht mit Entsetzen wie das letzte
Ihm den Trunk entreißt mit verbissener Miene.

Jedes Tier kann es. Unter diesen
Gilt es für eine Kunst.

Das Gehaben der Märkte hat es mit sich gebracht, daß
Die physische Liebe verkümmert und das Verhältnis
      der Geschlechter
In Abhängigkeit geraten ist von allerlei Vorstellungen
So daß auf physische Art, durch Berührung mit der Hand
Oder durch den Ton der Stimme, nichts mehr ausgerichtet wird.
Nur mehr durch bestimmte Vorstellungen wird
Der Geschlechtsteil der Frau naß oder bleibt trocken.
Der Wunsch, ausgebeutet zu werden, oder der Wunsch
Nicht ausgebeutet zu werden
Hemmen die Wirkungen der Berührungen
Gewisse Vorteile erregen mehr die Physis als alles andere.
Sie erwarten nicht, beisammenliegend, die Folgen der Wärme
Die sacht streichelnde Hand erweckt nicht das Begehren
Unter ihr richtet nicht mehr die Brust sich auf
Noch öffnen sich den drängenden Knien die Knie
Keine Welle der Zuneigung spült
Die Gedanken hinweg.

Denn in ihnen wohnt die Vorstellung eines Zustandes
Freilich von ihnen nicht abhängig, also törichte Vorstellung
Eines Zustandes, der alles erlaubte, selbst die natürliche Regung
Endlich zustandegekommener günstiger Abmachungen
Und abhängig hievon wieder die Vorstellung
Einer solchen Befriedigung solchen Rausches
Wie er niemals erlebt wurde.

Der Denkende, getreu seiner Gewohnheit
Unaufhörlich das unmögliche Denkbare zu fordern
Befürwortet einen Zustand des Gemeinwesens, in dem
Folgendes Verhalten möglich wäre:

Sie sagt, sie sei die treuste Frau der Welt
(Sie werden's glauben, wenn Sie sie gesehn)
Nur darf sie, sagt sie, niemals etwas trinken, sagt sie
Sonst kann sie, sagt sie, einfach für nichts stehn.
   Aber kann man eine solche Frau heiraten?
   Und mit ihr vereint durch dieses Leben gehn?
   Sie werden mir natürlich davon abraten
   Aber haben Sie sie schon einmal gesehn?
   Ach, da ist ja nicht ja
   Nein ist nicht nein
   Der, der sie einmal sah
   Geht mit ihr heim.
   Aber wenn Sie nicht wolln
   Bitte, ich will
   Fragen Sie nicht mich, was Sie solln
   Wenn Sie nicht zahlen wolln, soll Sie der Teufel holn
   Ach, sei'n Sie still!

Ich fragte sie, ob sie sehr gerne trinkt
Sie sagte nein, sie haßt nämlich den Wein
Nur darf man, sagt sie, sie nicht überreden, sagt sie
Sonst gibt sie nach, sie sagt sehr ungern nein.
   Aber kann man eine solche Frau heiraten?
   Und mit ihr vereint durch dieses Leben gehn?
   Sie werden mir natürlich davon abraten
   Aber haben Sie sie schon einmal gesehn?
   Ach, da ist ja nicht ja
   Nein ist nicht nein
   Der, der sie einmal sah
   Geht mit ihr heim.

Aber wenn Sie nicht wolln
Bitte, ich will
Fragen Sie nicht mich, was Sie solln
Wenn Sie nicht zahlen wolln, soll Sie der Teufel holn
Ach, sei'n Sie still!

Balaam Lai im Juli

Im Juli nach dem Verfall der Marquise
Und seiner Austreibung aus dem Paradiese
Bekam, als er im dorren Schilf
Mit den Fliegen an einem Weiher stand
Sum, sum
Balaam Lai, die versoffene Wiese
Bekam Balaam Lai einen Sonnenbrand.
Maria hilf!
Balaam Lai, Kirschwasserbottich in der »Weißen Nelke«
Spuckte lässig hinein in den Fliegenweiher
Flatsch!
Schielte gehalten nach seinem Zahn und ersann
Eine Einladung an die Anna Gewölke
Für die Nacht zu einer solennen Beweinung
Ging hin und erstand noch zwei Enteneier.
Gott erbarm sich der Anna Gewölke!

Als der Abend bleich, mit Qualen zu dämmern begann
Änderte zwar Balaam Lai seine Meinung
Als er sah, wie Anna Gewölke gesegelt kam
Mit ihrem Sonnenschirm durch die Dämmerung, weiß wie
    Rahm!
Denn Anna Gewölke war, wenn es darauf ankam
Ohne falsche Zimperlichkeit in freier
Auffassung der Liebe, weiß Gott, die letzte
Die sich mit faulem Zauber abspeisen ließ
Und einen Mann nicht nach seiner Leistung einschätzte
Als ob er Hostien fraß oder rohe Eier
Und Balaam Lai wußte dies.
Kurz, sie sagte, die Fenster seien aus Glas
Und als er sie nicht verhängte, tat sie's

Und flaggte um acht Uhr in Balaam Lais Weiher.
(Während er krampfhaft die Zeitung las.)

Als nun Anna Gewölke vor Langeweile schon ihre
    rosa Zehen anfraß
Erwog Balaam Lai noch in aller Eile
Wie sich das unkeusche Rabenaas
Aus seinem Wigwam hinausschmeißen ließ
Und es blieb ihm nichts übrig, als fortzulaufen
Und hinunter zu tappen und Rotwein zu kaufen
Und sie mit dem Rotwein rapid zu besaufen.

Damit sie vielleicht so die Besinnung verließe
Er selbst aber saß über dem Papier
Eines ehrwürdigen und beleibten Bandes
Bedruckt mit dem »Untergang des Abendlandes«.
Jedoch sie, die von Rotwein gefüllt, in den Kissen sich wälz
Beschielte ihn steif, und es schwante ihr
Etwas Verwandtes.
Nun, sie soff die Flaschen und war die kälteste
Frivolste Person, als sie mit der Allüre
Einer auf Leichen versessenen Walküre
Ihn einlud zu einer kleinen Umarmung.

Balaam Lai in seinem dreißigsten Jahr
Fuhr eines Abends nach Madagaskar
Denn er trug Verlangen nach Erna Susatte
Die er vier Jahre lang nicht gesehen
Hatte.
Und er wußte nicht, wo sie war
Und drum dachte er, sie ist in Madagaskar.
Er sah auf Cook's Reisebüro die Karte ein
Und dachte: sie müsse dort
Irgendwo sein.
Und kam so nach Madagaskar
Fürwahr
Wie der Pontius ins Credo hinein.
Er fuhr mit einem Koffer voll von Papieren
Einem Regenschirm mit kaputten Scharnieren
Einer Gitarre und einer Buddel Schnaps
Und mit seinem alten Herzklappenklaps.
Da das Meer verfluchte Manieren hatte
Dachte er nicht viel an Erna Susatte
Jedoch auf der Insel hinterdrein
Fiel ihm dieser Nam (nicht das Gesicht) wieder ein
Jedoch ging allein er an diesem Abend zu Bett, denn er spürte
Daß er sie an diesem Abend wohl doch noch nicht
      treffen würde.
Als nun Balaam Lai in seinem dreißigsten Jahr
Eines Morgens plötzlich in Madagaskar war
Frug er sich, bevor er auf die Suche ging
Ob es möglich sei, daß Erna Susatte
In Madagaskar war.
Und da er fand: es sei möglich, warum auch nicht?
Daß aber die Aussicht sei äußerst gering
Besonders wenn man nur Koffer und Regenschirm hatte

Und da er außerdem für das Gesicht
Dieser entschwundenen Erna Susatte
Wenig Interesse, Interesse mehr hatte
Entschied er bei einem Punsch, der miserabel bereitet war
Es sei nichts Besonderes auf Madagaskar.
Und fuhr frei und ledig von allem Sehnsuchtsschleim
Mit einem Punschaffen mittlerer Größe wieder heim.
Und bestellte einen zweiten Punsch bei Anna Gewölke
Tauentzienstraße 12, in der Bar »Rote Nelke«.

Viele Jahre danach in einer Bar
Tauentzienstraße 4, erzählte eine total versoffene Wiese
Unter andern wahren Geschichten auch diese:
Von einer kühnen Segelfahrt nach Madagaskar
Mit Schiffbrüchigen, Visionen und Schlangenbissen
Und von einem Gesicht, das er mitten im Sumpf
          von Madagaskar gesehen hatte –
Als Beweis, daß mitunter doch
Das Wunder geschieht
Und wie er, ohne etwas zu wissen
Das bleiche vergessene Gesicht der Erna Susatte
Von Punsch besoffen, in
Einem asiatischen Sumpfe sieht.

Denn wir sagen uns:
In diesem traurigen Leben
Ist die Liebe
immer das Sicherste doch
Und wir wissen ja:
Es wird sie nicht immer geben
Aber jetzt scheint der Mond
über Soho noch.

Das Lied vom Surabaya-Johnny

Ich war jung, Gott, erst sechzehn Jahre
Du kamest von Birma herauf
Und sagtest, ich solle mit dir gehen
Du kämest für alles auf.
Ich fragte nach deiner Stellung
Du sagtest, so wahr ich hier steh
Du hättest zu tun mit der Eisenbahn
Und nichts zu tun mit der See.
Du sagtest viel, Johnny
Kein Wort war wahr, Johnny
Du hast mich betrogen, Johnny, in der ersten Stund
Ich hasse dich so, Johnny
Wie du dastehst und grinst, Johnny
Nimm die Pfeife aus dem Maul, du Hund.
   Surabaya-Johnny, warum bist du so roh?
   Surabaya-Johnny, mein Gott, ich liebe dich so.
   Surabaya-Johnny, warum bin ich nicht froh?
   Du hast kein Herz, Johnny, und ich liebe dich so.

2

Zuerst war es immer Sonntag
So lang, bis ich mitging mit dir
Aber schon nach zwei Wochen
War dir nichts mehr recht an mir.
Hinauf und hinab durch den Pandschab
Den Fluß entlang bis zur See:
Ich sehe schon aus im Spiegel
Wie eine Vierzigjährige.
Du wolltest nicht Liebe, Johnny
Du wolltest Geld, Johnny
Ich aber sah, Johnny, nur auf deinen Mund.

Du verlangtest alles, Johnny
Ich gab dir mehr, Johnny
Nimm die Pfeife aus dem Maul, du Hund.
    Surabaya-Johnny, warum bist du so roh?
    Surabaya-Johnny, mein Gott, ich liebe dich so.
    Surabaya-Johnny, warum bin ich nicht froh?
    Du hast kein Herz, Johnny, und ich liebe dich so.

3

Ich hatte es nicht beachtet
Warum du den Namen hast
Aber an der ganzen langen Küste
Warst du ein bekannter Gast.
Eines Morgens in einem Sixpencebett
Werd ich donnern hören die See
Und du gehst, ohne etwas zu sagen
Und dein Schiff liegt unten am Kai.
Du hast kein Herz, Johnny
Du bist ein Schuft, Johnny
Du gehst jetzt weg, Johnny, sag mir den Grund.
Ich liebe dich doch, Johnny
Wie am ersten Tag, Johnny
Nimm die Pfeife aus dem Maul, du Hund.
    Surabaya-Johnny, warum bist du so roh?
    Surabaya-Johnny, mein Gott, warum lieb ich dich so
    Surabaya-Johnny, warum bin ich nicht froh?
    Du hast kein Herz, Johnny, und ich liebe dich so.

Der Barbara-Song

Einst glaubte ich, als ich noch unschuldig war
Und das war ich einst grad so wie du
Vielleicht kommt auch zu mir einmal einer
Und dann muß ich wissen, was ich tu.
Und wenn er Geld hat
Und wenn er nett ist
Und sein Kragen ist auch werktags rein
Und wenn er weiß, was sich bei einer Dame schickt
Dann sage ich ihm »Nein«.
    Da behält man seinen Kopf oben
    Und man bleibt ganz allgemein.
    Sicher scheint der Mond die ganze Nacht
    Sicher wird das Boot am Ufer losgemacht
    Aber weiter kann nichts sein.
    Ja, da kann man sich doch nicht nur hinlegen
    Ja, da muß man kalt und herzlos sein.
    Ja, da könnte so viel geschehen
    Ach, da gibt's überhaupt nur: Nein.

2

Der erste, der kam, war ein Mann aus Kent
Der war, wie ein Mann sein soll.
Der zweite hatte drei Schiffe im Hafen
Und der dritte war nach mir toll.
Und als sie Geld hatten
Und als sie nett waren
Und ihr Kragen war auch werktags rein
Und als sie wußten, was sich bei einer Dame schickt
Da sagte ich ihnen »Nein«.
    Da behielt ich meinen Kopf oben
    Und ich blieb ganz allgemein.

Sicher schien der Mond die ganze Nacht
Sicher ward das Boot am Ufer losgemacht
Aber weiter konnte nichts sein.
Ja, da kann man sich doch nicht nur hinlegen
Ja, da mußt ich kalt und herzlos sein.
Ja, da konnte doch viel geschehen
Aber da gibt's überhaupt nur: Nein.

3

Jedoch eines Tags, und der Tag war blau
Kam einer, der mich nicht bat
Und er hängte seinen Hut an den Nagel in meiner Kammer
Und ich wußte nicht mehr, was ich tat.
Und als er kein Geld hatte
Und als er nicht nett war
Und sein Kragen war auch am Sonntag nicht rein
Und als er nicht wußte, was sich bei einer Dame schickt
Zu ihm sagte ich nicht »Nein«.
Da behielt ich meinen Kopf nicht oben
Und ich blieb nicht allgemein.
Ach, es schien der Mond die ganze Nacht
Und es ward das Boot am Ufer festgemacht
Und es konnte gar nicht anders sein!
Ja, da muß man sich doch einfach hinlegen
Ja, da kann man doch nicht kalt und herzlos sein.
Ach, da mußte so viel geschehen
Ja, da gab's überhaupt kein Nein.

Ballade von der Hanna Cash

1

Mit dem Rock von Kattun und dem gelben Tuch
Und den Augen der schwarzen Seen
Ohne Geld und Talent und doch mit genug
Vom Schwarzhaar, das sie offen trug
Bis zu den schwärzeren Zeh'n:
    Das war die Hanna Cash, mein Kind
    Die die »Gentlemen« eingeseift
    Die kam mit dem Wind und ging mit dem Wind
    Der in die Savannen läuft.

2

Die hatte keine Schuhe und die hatte auch kein Hemd
Und die konnte auch keine Choräle!
Und sie war wie eine Katze in die große Stadt geschwemmt
Eine kleine graue Katze zwischen Hölzer eingeklemmt
Zwischen Leichen in die schwarzen Kanäle.
    Sie wusch die Gläser vom Absinth
    Doch nie sich selber rein
    Und doch muß die Hanna Cash, mein Kind
    Auch rein gewesen sein.

3

Und sie kam eines Nachts in die Seemannsbar
Mit den Augen der schwarzen Seen
Und traf J. Kent mit dem Maulwurfshaar
Den Messerjack aus der Seemannsbar
Und der ließ sie mit sich gehn!
    Und wenn der wüste Kent den Grind
    Sich kratzte und blinzelte
    Dann spürt die Hanna Cash, mein Kind
    Den Blick bis in die Zeh.

4

Sie »kamen sich näher« zwischen Wild und Fisch
Und »gingen vereint durchs Leben«
Sie hatten kein Bett und sie hatten keinen Tisch
Und sie hatten selber nicht Wild noch Fisch
Und keinen Namen für die Kinder.
   Doch ob Schneewind pfeift, ob Regen rinnt
   Ersöff auch die Savann
   Es bleibt die Hanna Cash, mein Kind
   Bei ihrem lieben Mann.

5

Der Sheriff sagt, daß er ein Schurke sei
Und die Milchfrau sagt: er geht krumm.
Sie aber sagt: Was ist dabei?
Es ist mein Mann. Und sie war so frei
Und blieb bei ihm. Darum.
   Und wenn er hinkt und wenn er spinnt
   Und wenn er ihr Schläge gibt:
   Es fragt die Hanna Cash, mein Kind
   Doch nur: ob sie ihn liebt.

6

Kein Dach war da, wo die Wiege war
Und die Schläge schlugen die Eltern.
Die gingen zusammen Jahr für Jahr
Aus der Asphaltstadt in die Wälder gar
Und in die Savann aus den Wäldern.
   Solang man geht in Schnee und Wind
   Bis daß man nicht mehr kann
   So lang ging die Hanna Cash, mein Kind
   Nun mal mit ihrem Mann.

Kein Kleid war arm, wie das ihre war
Und es gab keinen Sonntag für sie
Keinen Ausflug zu dritt in die Kirschtortenbar
Und keinen Weizenfladen im Kar
Und keine Mundharmonie.
  Und war jeder Tag, wie alle sind
  Und gab's kein Sonnenlicht:
  Es hatte die Hanna Cash, mein Kind
  Die Sonn stets im Gesicht.

Er stahl wohl die Fische, und Salz stahl sie.
So war's. »Das Leben ist schwer.«
Und wenn sie die Fische kochte, sieh:
So sagten die Kinder auf seinem Knie
Den Katechismus her.
  Durch fünfzig Jahr in Nacht und Wind
  Sie schliefen in einem Bett.
  Das war die Hanna Cash, mein Kind
  Gott mach's ihr einmal wett.

Erinnerung an eine M. N.

Haltbar wie Kautschuk
Der bleibt, wie er ist
Den kannst du nicht umbiegen
Wer du auch bist.
    Doch warum nicht Rum aus dem Wasserglas
    Und warum nicht die hundert Prozent?
    Aber vielleicht ist es gut für was
    Wenn man das Bitterste kennt.

2

Fandest du sie billig
Sagtest du: Kattun?
Aber jetzt lüge nicht:
Hattest du sie nun?
    Doch warum nicht Rum aus dem Wasserglas
    Und warum nicht die hundert Prozent?
    Aber vielleicht ist es gut für was
    Wenn man das Bitterste kennt.

3

Warst du auf ihrem Bett?
Erzähle nichts! Deine Hand!
Ich weiß, auf dem Gange
Hat sie dich nicht mehr erkannt.
    Doch warum nicht Rum aus dem Wasserglas
    Und warum nicht die hundert Prozent?
    Aber vielleicht ist es gut für was
    Wenn man das Bitterste kennt.

4

Willst du sie vergessen
Zerreiß ihre Fotografie
Da wirst du sie schon vergessen
Aber ihre Wörter nie.
    Doch warum nicht Rum aus dem Wasserglas
    Und warum nicht die hundert Prozent?
    Aber vielleicht ist es gut für was
    Wenn man das Bitterste kennt.

5

Sage, es war finster
Sage, finster war gut
Merke dir, es war Ebbe
Und vergiß: es war Flut.
    Doch warum nicht Rum aus dem Wasserglas
    Und warum nicht die hundert Prozent?
    Aber vielleicht ist es gut für was
    Wenn man das Bitterste kennt.

6

Sagst du, du gingst weg von ihr?
Schwöre, daß du sie vergaßt!
Sage nicht, sie war nichts
Sage, daß du eine bessere sahst.
    Ach, warum Rum aus dem Wasserglas
    Und warum auch hundert Prozent?
    Freilich: vielleicht ist es gut für was
    Wenn man das Bitterste kennt.

Der Ehesong

Hauptsache ist, daß man auf alles einen Kognak nimmt
Und so 'ner Sache klar ins Auge blickt
Und schaut, ob diesem ganzen Kerzenzimt
Auch ein gesunder Sinn zugrunde liegt:
Man ist versorgt. Man hat eine Familie.
Sonst hat man ja doch weder Fleisch noch Fisch
Man ist mal eben nicht so wählerisch:
Am Morgen ist man dafür dann auch frisch
Und kommt man heim: das Fleisch steht auf dem Tisch.
Die Frau schenkt einem schließlich ihre Lilie!
  Da natürlich wär es schön, wenn dann
  Unsereiner etwas tiefer schürfte
  Daß die Bindung nicht so flüchtig ist und man
  Seine zwei, drei Jahre damit rechnen dürfte . . .
  Denn wir sagen uns: In diesem traurigen Leben
  Ist die Liebe immer das Sicherste doch
  Und wir wissen ja: Es wird sie nicht immer geben
  Aber jetzt scheint der Mond über Soho noch.

Hauptsache ist, daß man der Wahrheit die Ehre gibt
Und nicht nach Sprit riecht, wenn man »Liebste« haucht!
Sondern daß so ein Mann sie kräftig liebt
Und weiß, daß eine Frau *viel* Liebe braucht.
Man ist jetzt Frau. Man hat entsprechend Pflichten
Die Pflichten sind sogar mitunter schwer –
Dann will man aber auch seinen Verkehr
Und regelmäßig und nicht nebenher
Das hat man schwarz auf weiß jetzt – bitte sehr!
Da muß der Mann sich eben danach richten.
  Da natürlich wär es schön, wenn dann
  Auch die Liebe etwas mitzusprechen hätte

Daß die Bindung nicht nur einfach tierisch ist und man
Sich auch menschlich hochschätzt und nicht nur im Bette.
Denn wir sagen uns: In diesem traurigen Leben
Ist die Liebe immer das Sicherste doch
Und wir wissen ja: Es wird sie nicht immer geben
Aber jetzt scheint der Mond über Soho noch.

Das Hochzeitslied für ärmere Leute

Bill Lawgen und Mary Syer
Wurden letzten Mittwoch Mann und Frau.
(Hoch sollen sie leben, hoch, hoch, hoch!)
Als sie drin standen vor dem Standesamt
Wußte er nicht, woher ihr Brautkleid stammt
Aber sie wußte seinen Namen nicht genau.
Hoch!

Wissen Sie, was Ihre Frau treibt? Nein!
Lassen Sie Ihr Lüstlingsleben sein? Nein!
(Hoch sollen sie leben, hoch, hoch, hoch!)
Billy Lawgen sagte neulich mir:
Mir genügt ein kleiner Teil von ihr!
Das Schwein.
Hoch!

Abschiedslied

Wenn ich von dir gehen werde
Für die Männer, für die Pferde
Liegt das große Schiff der Königin am Kai.
Nimm dir einen andern, Minnie
Denn dies Schiff geht nach Virginie
Und die Liebe, und die Liebe ist vorbei.

Und wir stehen zwei-, dreitausend
Und mit Mann und Maus und Brausen
Sticht das große Schiff der Königin in See.
Aber eines, Jimmy, mußt du wissen
Immer werde ich dich missen
Wenn ich einst mit einem andern geh.

Alabama-Song

Oh, show us the way to the next whisky-bar
Oh, don't ask why, oh, don't ask why
For we must find the next whisky-bar
For if we don't find the next whisky-bar
I tell you we must die! I tell you we must die!
Oh! Moon of Alabama
We now must say good-bye
We've lost our good old mamma
And must have whisky
Oh! You know why.

2

Oh, show us the way to the next pretty girl
Oh, don't ask why, oh, don't ask why
For we must find the next pretty girl
For if we don't find the next pretty girl
I tell you we must die! I tell you we must die!
Oh! Moon of Alabama
We now must say good-bye
We've lost our good old mamma
And must have a girl
Oh! You know why.

Oh, show us the way to the next little dollar
Oh, don't ask why, oh, don't ask why
For we must find the next little dollar
For if we don't find the next little dollar
I tell you we must die! I tell you we must die!
  Oh! Moon of Alabama
  We now must say good-bye
  We've lost our good old mamma
  And must have dollars
  Oh! You know why.

Die Legende der Dirne Evlyn Roe

Als der Frühling kam und das Meer war blau
Da fand sie nimmer Ruh –
Da kam mit dem letzten Boot an Bord
Die junge Evlyn Roe.

Sie trug ein härnes Tuch auf dem Leib
Der schöner als irdisch war.
Sie trug kein andres Gold und Geschmeid
Als ihr wunderreiches Haar.

»Herr Kapitän, laß mich mit dir ins heil'ge Land fahrn
Ich muß zu Jesus Christ.«
»Du sollst mitfahrn, Weib, weil wir Narrn
Und du so herrlich bist.«

»Er lohn's Euch. Ich bin nur ein arm Weib.
Mein Seel gehört dem Herrn Jesu Christ.«
»So gib uns deinen süßen Leib!
Denn der Herr, den du liebst, kann das nimmermehr zahln
Weil er gestorben ist.«

Sie fuhren hin in Sonn und Wind
Und liebten Evlyn Roe.
Sie aß ihr Brot und trank ihren Wein
Und weinte immer dazu.

Sie tanzten nachts. Sie tanzten tags
Sie ließen das Steuern sein.
Evlyn Roe war so scheu und so weich:
Sie waren härter als Stein.

Der Frühling ging. Der Sommer schwand.
Sie lief wohl nachts mit zerfetztem Schuh
Von Rah zu Rah und starrte ins Grau
Und suchte einen stillen Strand
Die arme Evlyn Roe.

Sie tanzte nachts. Sie tanzte tags.
Da ward sie wie ein Sieches matt.
»Herr Kapitän, wann kommen wir
In des Herrn heilige Stadt?«

Der Kapitän lag in ihrem Schoß
Und küßte und lachte dazu:
»Und ist wer schuld, daß wir nie hinkommen:
So ist es Evlyn Roe.«

Sie tanzte nachts. Sie tanzte tags.
Da ward sie wie ein Leichnam matt.
Und vom Kapitän bis zum jüngsten Boy
Hatten sie alle satt.

Sie trug ein seiden Gewand auf dem Leib
Der siech und voll Schwielen war
Und trug auf der entstellten Stirn
Ein schmutzzerwühltes Haar.

»Nie seh ich dich, Herr Jesus Christ
Mit meinem sündigen Leib.
Du darfst nicht gehn zu einer Hur
Und bin ein so arm Weib.«

Sie lief wohl lang von Rah zu Rah
Und Herz und Fuß tat ihr weh:

Sie ging wohl nachts, wenn's keiner sah
Sie ging wohl nachts in die See.

Das war im kühlen Januar
Sie schwamm einen weiten Weg hinauf
Und erst im März oder im April
Brechen die Blüten auf.

Sie ließ sich den dunklen Wellen, und die
Wuschen sie weiß und rein
Nun wird sie wohl vor dem Kapitän
Im heiligen Lande sein.

Als im Frühling sie in den Himmel kam
Schlug Petrus die Tür ihr zu:
»Gott hat mir gesagt: Ich will nit han
Die Dirne Evlyn Roe.«

Doch als sie in die Hölle kam
Sie riegeln die Türen zu:
Der Teufel schrie: »Ich will nit han
Die fromme Evlyn Roe.«

Da ging sie durch Wind und Sternenraum
Und wanderte immerzu.
Spät abends durchs Feld sah ich sie schon gehn:
Sie wankte oft. Nie blieb sie stehn.
Die arme Evlyn Roe.

Am Mittag zwingt man sich,
daß man nicht Sellerie frißt.
Nachmittags weiht man sich
noch eilig 'ner Idee.
Am Abend sagt man:
mit mir geht's nach oben
Doch vor es Nacht wird,
liegt man wieder droben.

Die Ballade von der sexuellen Hörigkeit

1

Da ist nun einer schon der Satan selber
Der Metzger: er! Und alle andern: Kälber!
Der frechste Hund! Der schlimmste Hurentreiber!
Wer kocht ihn ab, der alle abkocht? Weiber.
Ob er will oder nicht – er ist bereit.
Das ist die sexuelle Hörigkeit.
    Er hält sich nicht an die Bibel. Er lacht übers BGB.
    Er meint, er ist der größte Egoist
    Weiß, daß wer'n Weib sieht, schon verschoben ist.
    Drum duldet er kein Weib in seiner Näh:
    Er soll den Tag nicht vor dem Abend loben
    Denn vor es Nacht wird, liegt er wieder droben.

2

So mancher Mann sah manchen Mann verrecken:
Ein großer Geist blieb in 'ner Hure stecken!
Und die's mit ansahn, was sie sich auch schwuren –
Als sie verreckten, wer begrub sie? Huren.
Ob sie wollen oder nicht – sie sind bereit.
Das ist die sexuelle Hörigkeit.
    Der klammert sich an die Bibel. Der verbessert das BGB.
    Der wird ein Christ! Der wird ein Anarchist!
    Am Mittag zwingt man sich, daß man nicht Sellerie frißt.
    Nachmittags weiht man sich noch eilig 'ner Idee.
    Am Abend sagt man: mit mir geht's nach oben
    Und vor es Nacht wird, liegt man wieder droben.

3

Da steht nun einer fast schon unterm Galgen
Der Kalk ist schon gekauft, ihn einzukalken
Sein Leben hängt an einem brüchigen Fädchen
Und was hat er im Kopf, der Bursche? Mädchen.
Schon unterm Galgen, ist er noch bereit.
Das ist die sexuelle Hörigkeit.

    Er ist schon sowieso verkauft mit Haut und Haar
    Er hat in ihrer Hand den Judaslohn gesehn
    Und sogar er beginnt nun zu verstehn
    Daß ihm des Weibes Loch das Grabloch war.
    Und er mag wüten gegen sich und toben –
    Bevor es Nacht wird, liegt er wieder droben.

Ballade von den untreuen Weibern

Willst du ein Weib, mein Sohn, für dich allein
Dann mach dein Testament für diese Erde
Wird nicht dein Maul wie das von einem Schwein
Dann gleicht dein Schwanz bald dem von einem Pferde.
's gibt dies und das Weib, das sich dann beschwert
Doch die begehre nicht: sie ist nichts wert.

Lüg's ihr, daß keiner größer ist als deiner
Sag's ihr ganz deutlich, Junge, nimm ein Beil
Und setz dich neben sie, sonst steckt ihr einer
Sofort ein Kissen unters Hinterteil.
's gibt auch dies und das Weib, das sich wehrt
Halt dich von diesen fern: sie ist nichts wert.

Hau in die Bettstatt neben euch dein Messer
Und geh ja nicht hinaus, wenn du nicht mußt
Dann nimm sie mit, ich sage dir, 's ist besser
Sonst greift ihr wieder einer an die Brust.
's gibt dies und das Weib, das sich drum nicht schert
Doch halt dich fern von der: sie ist nichts wert.

Du darfst sie auch nachts nicht zu oft gebrauchen
Sonst schläfst du allzu tief und nichts ist schlimmer
Kannst du im Schlaf nicht grad noch Pfeife rauchen
Läuft sie doch gleich noch in ein andres Zimmer.
's gibt dies und das Weib, das den Schlummer ehrt
Halt dich von der entfernt: sie ist nichts wert.

Sonett Nr. 11
(Vom Genuß der Ehemänner)

Ich liebe meine ungetreuen Frauen:
Sie sehn mein Auge starr auf ihrem Becken
Und müssen den gefüllten Schoß vor mir verstecken
(Es macht mir Lust, sie dabei anzuschauen.)

Im Mund noch den Geschmack des andern Manns
Ist die gezwungen, mich recht geil zu machen
Mit diesem Mund mich lüstern anzulachen
Im kalten Schoß noch einen andern Schwanz!

Und während ich sie tatenlos betrachte
Essend die Tellerreste ihrer Lust
Erwürgt sie den Geschlechtsschlaf in der Brust.

Ich war noch voll davon, als ich die Verse machte!
(Doch wär es eine teure Lust gewesen
Wenn dies Gedicht hier die Geliebten läsen.)

Über die Untreue der Weiber

Vielleicht würd ich es ihr sogar gestatten
Zu andern Männern sich nach Lust zu legen
Warum nicht etwas Freiheit? Meinetwegen!
Wenn jeder Griff der Fünfminutengatten

Sie nur nicht gleich so sehr verändern würde!
Selbst wenn es gar nicht so besonders glückte
Wenn ihr nur einer mal am Hintern rückte
Spielt sie bestimmt fortab doch die Verführte

Und sehr Geheimnisvolle! Die verschlagen
Den Besserwisser jetzt hereingelegt hat
Da der nicht weiß, und wehe, wenn er's wüßte!

Daß sie den Hintern damals doch bewegt hat!
Wenn auch nur gegen Ende sozusagen . . .
Und so entsteht ein Riß, der nicht entstehen müßte.

Matrosen-Song

Matrosen, wenn sie Mädchen sehn
Die wollen gleich zu Bette gehn
Da sind sie recht befehlrisch;
Ob Nigger- oder Japanfrau
Das nehmen sie nicht so genau
Darin sind sie nicht wählrisch;
Aus jedem Hafenfreudenhaus
Da hängen blaue Hosen raus
Ob Sansibar, ob Kiautschou
Ob Nigger- oder Japanfrau
Darin sind sie nicht wählrisch.

Den blauen Hosen von den Matrosen
Ist alles scheißegal.
Blau ist das Leben
Blau sind die Polster im . . .
Blau ist das Sterben
Blau ist das Meer und der Suff
Die blauen Hosen von den Matrosen
Sind international.

Matrosen, ja, bei Licht besehn
Die müssen in die Binsen gehn
Das Meer ist da befehlrisch;
Und ob bei Shanghai im Taifun
Bei Blumenau, ob bei Saigoon
Da sind sie dann nicht wählrisch;
Ob Taifun oder Syphilis
Von weißer oder gelber Miss

Ob Yankee oder Niggergott
Ob Tiefsee oder Whiskypott.

Den blauen Hosen von den Matrosen
Ist alles scheißegal.
Blau ist das Leben
Blau sind die Polster im . . .
Blau ist das Sterben
Blau ist das Meer und der Suff
Die blauen Hosen von den Matrosen
Sind international.

Lied der Kompanie

Siebenzehn Gemeine von der Artill'rie
Besahn die Frau'n von Gaa.
Und ein jeglicher Gemeiner
Ging ins Flußgesträuch mit einer
Und besah mit ihr den roten Mond von nah.
 Das war der einz'ge Mond von Gaa
 Den sie da sah
 Und dieser Mond war ganze drei, vier Stunden da
 Ja, Ja.

Aus dem Lager reitet unsre Artill'rie
Zur frühen Morgenstund.
Doch ein jeder der Gemeinen
Gab zum Abschied noch der Seinen
Eine Dattel und das macht ein ganzes Pfund.
 Und diese Dattel, das war a –
 lles, was sie sah
 Mehr als die Dattel war ja gar nicht für sie da.
 Ach ja.

Der Kaugummi-Song

Hauptsächlich haben viele Frauen auf der Welt nur Johnny gesehen
Der der härteste Mann in Mahagonny war.
Ja, dieser Johnny war für viele der größte Eindruck auf der Welt
Und seine ganze Philosophie war, daß er Kaugummi kaute.
Ganz einfach! Ganz einfach!
  Johnny war in sehr vielen Lebenslagen drin.
  Warum nicht? Warum nicht?
  Doch in allen Lebenslagen kaute Johnny Kaugummi.

Tatsächlich haben die meisten Männer schon nach Johnny gesehen
Der der schönste Mann in Mahagonny war.
Johnny selber schoß nur selten und schoß nur von hinterrücks
Weil eine Patrone nicht umsonst ist wie eine Frau.
Ganz einfach! Ganz einfach!
  Johnny schoß nur, wenn es ihm wirklich Spaß machte.
  Warum nicht? Warum nicht?
  Doch auch hinter seinem Browning kaute Johnny Kaugummi.

Tatsächlich haben viele Frauen sich nur für Johnny geschminkt
Der der gemeinste Bursche in Mahagonny war.
Johnny selber liebte selten und nur in Kleidern unbedingt
Dann auch am Sonntag vormittag bei offner Tür und lang.
Ganz einfach! Ganz einfach!
  Johnny war ebenso scharf auf geschminkte Mädchen wie wir.
  Warum nicht? Warum nicht?
  Doch bei ihm geschah es niemals ohne Kaugummi.

Mit der Zeit wollten viele Leute Mahagonny ohne Johnny sehn
Der der einzige Mann in Mahagonny war.
Und Johnny starb auch, ja, er selber wollte vielleicht gar nicht m.
Weil's mit dem Tod, meine Herren, nicht so leicht geht wie mit
    einer Frau.
Nicht so einfach! Nicht so einfach!
    Jedoch Johnny war schnell im Bilde im Verrecken.
    Und warum nicht? Ja, warum nicht?
    Und auch auf dem Sterbebette kaute Johnny Kaugummi.

Mahagonnysong Nr. 4

Deine Beine wie Billardqueues
Die ein Orang deflorierte
In den blassen Schenken von Mahagonny
Wer weiß, wer die alles rasierte.

1

Zu den Burschen im gelben Fieber
Hast du dich gelegt, man weiß es
In den heißen Nächten von Mahagonny
Ihre Körper mißbraucht statt des Eises.
  Immer deine Beine
  Immer nur sagten sie das
  Manchem Burschen der seine
  War schon wie Gummi, du Aas
  Aber wenn du schon nicht wartest, bis mich deine
    Krankheit frißt
  Warte gefälligst, meine Geliebte, bis mein Hemd
    getrocknet ist.

2

Ja, die alten Männer beim Karten
Schlossen oft ihr Aug und bebten
Und gedachten der Zeiten in Mahagonny
Fern vom Pokertisch, als sie noch lebten.
  Über deinem Leibe
  Hat sich mancher gewiegt
  Daß er bei seinem Weibe
  Nur noch mit dem Schuhlöffel liegt
  Aber wenn du schon nicht wartest, bis die kalte Zeit
    mich frißt
  Warte gefälligst, meine Geliebte, bis mein Hemd
    getrocknet ist.

Die Jungfrau hörte oft bitten
Den Mann, eingeweckt in Whisky
Solle ihn nicht führen nach Mahagonny
Vor sein Messer vertrunken für Whisky.
    Immer deine Beine
    Immer nur sagten sie das
    Manchem Burschen der seine
    War schon wie Gummi, du Aas.
    Aber wenn du schon nicht wartest, bis ihn deine
        Krankheit frißt
    Warte gefälligst, liebe Geliebte, bis sein Hemd
        getrocknet ist.

Der Song von Mandelay

Mutter Goddams Puff in Mandelay
Sieben Bretter an 'ner grünen See.
Goddam, was ist das für ein Etablissement!
Da stehen ja schon fünfzehn die Bretterwand entlang
In der Hand die Uhr und mit Hohé!
Gibt's denn nur *ein* Mensch in Mandelay?
  Menscher sind das Schönste auf der Welt
  Denn sie sind, zum Teufel, wert ihr Geld.
  Und es wäre alles einfach in der Ordnung
  Wenn der Mensch, der drin ist, nicht so langsam wär.
  Nehmt den Browning, schießt mal durch das Türchen
  Denn der Mensch, der drinnen, hindert den Verkehr.
  Rascher, Johnny, he, rascher, Johnny, he!
  Stimmt ihn an, den Song von Mandelay!
  Liebe, die ist doch an Zeit nicht gebunden.
  Johnny, mach rasch, denn hier geht's um Sekunden!
  Ewig nicht stehet der Mond über dir, Mandelay.

Mutter Goddams Puff in Mandelay
Jetzt ruht über dir die grüne See.
Ach, goddam, was war das für ein Etablissement!
Jetzt stehen keine fünf mehr die Bretterwand entlang!
Jetzt gibt's keine Uhr und kein Hohé!
Und kein Mensch mehr ist in Mandelay.
  Damals gab's noch Menscher auf der Welt
  Und die waren eben wert ihr Geld.
  Jetzt ist eben nichts mehr auf der Welt in Ordnung
  Und ein' Puff wie diesen kennt man heut nicht mehr
  Keinen Browning mehr und auch kein Türchen
  Wo kein Mensch ist, da ist auch kein Verkehr.

Rascher, Johnny, he, rascher, Johnny, he!
Stimmt ihn an, den Song von Mandelay!
Liebe, die ist doch an Zeit nicht gebunden.
Johnny, mach rasch, denn es geht um Sekunden!
Ewig nicht stehet der Mond über dir, Mandelay.

Kuppellied

Ach, man sagt, des roten Mondes Anblick
Auf dem Wasser macht die Mädchen schwach
Und man spricht von eines Mannes Schönheit
Der ein Weib verfiel. Daß ich nicht lach!
   Wo ich Liebe sah und schwache Knie
   War's beim Anblick von – Marie.
   Und das ist bemerkenswert:
   Gute Mädchen lieben nie
   Einen Herrn, der nichts verzehrt.
   Doch sie können innig lieben
   Wenn man ihnen was verehrt.
   Und der Grund ist: Geld macht sinnlich
   Wie uns die Erfahrung lehrt.

Ach, was soll des roten Mondes Anblick
Auf dem Wasser, wenn der Zaster fehlt?
Und was soll da eines Mannes oder Weibes Schönheit
Wenn man knapp ist und es sich verhehlt?
   Wo ich Liebe sah und schwache Knie
   War's beim Anblick von – Marie.
   Und das ist bemerkenswert:
   Wie soll er und wie soll sie
   Sehnsuchtsvoll und unbeschwert
   Auf den leeren Magen lieben?
   Nein, mein Freund, das ist verkehrt.
   Fraß macht warm und Geld macht sinnlich
   Wie uns die Erfahrung lehrt.

Die Zuhälterballade

In einer Zeit, die längst vergangen ist
Lebten wir schon zusammen, sie und ich
Und zwar von meinem Kopf und ihrem Bauch.
Ich schützte sie und sie ernährte mich.
Es geht auch anders, doch so geht es auch.
Und wenn ein Freier kam, kroch ich aus unserm Bett
Und drückte mich zu'n Kirsch und war sehr nett
Und wenn er blechte, sprach ich zu ihm: Herr
Wenn sie mal wieder wollen – bitte sehr.
So hielten wir's ein volles halbes Jahr
In dem Bordell, wo unser Haushalt war.

2

In jener Zeit, die nun vergangen ist
Hat er mich manches liebe Mal gestemmt.
Und wenn kein Zaster war, hat er mich angehaucht
Da hieß es gleich: du, ich versetz dein Hemd.
Ein Hemd, ganz gut, doch ohne geht es auch.
Da wurd ich aber tückisch, ja, na weißte!
Ich fragt ihn manchmal direkt, was er sich erdreiste.
Da hat er mir aber eins ins Zahnfleisch gelangt
Da bin ich manchmal direkt drauf erkrankt!
Das war so schön in diesem halben Jahr
In dem Bordell, wo unser Haushalt war.

3

Zu jener Zeit, die nun vergangen ist,
Die aber noch nicht ganz so trüb wie jetzt war
Wenn man auch nur bei Tag zusammenlag
Da sie ja, wie gesagt, nachts meist besetzt war!
(Nachts ist es üblich, doch 's geht auch bei Tag!)
War ich ja dann auch einmal hops von dir.
Da machten wir's dann so: ich lag dann unter ihr
Weil er das Kind nicht schon im Mutterleib
        erdrücken wollte
Das aber dann doch in die Binsen gehen sollte.
Und dann war auch bald aus das halbe Jahr
In dem Bordell, wo unser Haushalt war.

Gedanken eines Revuemädchens
während des Entkleidungsaktes

Mein Los ist es, auf dieser queren Erde
Der Kunst zu dienen als die letzte Magd
Auf daß den Herrn ein Glück bescheret werde
Doch wenn ihr fragt

Was ich wohl fühle, wenn ich mich entblöße
In schönen schlauen Griffen und des Lichts
Der goldenen Lampen teilhaft, als Stripptöse
Antwort ich: nichts.

Es geht auf zwölf. Ich komm zu spät zum Bus.
Der Käse ist im andern Laden besser.
Die Dicke sagt: sie geht jetzt in den Fluß
Er hat ein Messer.

Halbvoll. Am Samstag! Heut wird's wieder zwölfe.
Mehr lächeln. Diese Luft ist ein Skandal.
Halt's Maul da vorn, ich zeig sie dir schon. Wölfe!
Wie ich die Miete zahl . . . ?

Milchabbestellen hab ich auch vergessen.
Den Hintern aber zeig ich heute nicht.
Ein bißchen schwenken muß ich ihn. Das Essen
Im Gelben Hund ist so, daß man's erbricht.

Lala

Sie haben schon mancher die Lilie genommen
Aber ich habe schon besonders in die Nesseln gepißt
Denn ich habe einen Liebhaber bekommen
Der mit allen Wassern gewaschen ist.

Als er mir meine Sinne betörte
Hab ich die Zähne zusammengebissen und
Gedacht: das kommt, weil ich nie auf die Eltern hörte
Aber der hatte schon gar kein Schamgefühl mehr, der Hund.

Der wagte es glatt, eine Jungfrau so anzutasten
Und war gar nicht imstand. Es war alles nur Schleim
Und schickt einen doch noch nicht einmal halb Gefaßten
In dem Zustand kaltblütig zu Muttern heim.

Er sagt, er war noch in jedem Sattel
Gerecht, nur bei mir nicht. Ich sagte: Probiern
Willst du bei mir! Du mit deiner verdorrten Samendattel
Solltest dich heimgeigen lassen, statt Jungfraun zu verführen!

Er sagte, er lange sich an die Stirn, weil er mich nicht begriffe
Ich soll froh sein, daß ich bei ihm kein Kind kriege. Die Luft
Ging mir aus! Als ob ich nicht etwa auf alles pfiffe
Wenn ich nichts davon habe! So einem Schuft

Ist es freilich gleich, wenn ein armes unschuldiges Mädchen
    verführt ist
So einer wirft die Haut auf den Mist.
So einer pfeift sich was, wenn das Unheil erst angerührt ist
Wenn nur seine Wollust befriedigt ist!

Lied des Freudenmädchens

1

Meine Herrn, mit siebzehn Jahren
Kam ich auf den Liebesmarkt
Und ich habe viel erfahren.
Böses gab es viel
Doch das war das Spiel.
Aber manches hab ich doch verargt.
(Schließlich bin ich ja auch ein Mensch.)
 Gottseidank geht alles schnell vorüber
 Auch die Liebe und der Kummer sogar.
 Wo sind die Tränen von gestern abend?
 Wo ist der Schnee vom vergangenen Jahr?

2

Freilich geht man mit den Jahren
Leichter auf den Liebesmarkt
Und umarmt sie dort in Scharen.
Aber das Gefühl
Wird erstaunlich kühl
Wenn man damit allzuwenig kargt.
(Schließlich geht ja jeder Vorrat zu Ende.)
 Gottseidank geht alles schnell vorüber
 Auch die Liebe und der Kummer sogar.
 Wo sind die Tränen von gestern abend?
 Wo ist der Schnee vom vergangenen Jahr?

Und auch wenn man gut das Handeln
Lernte auf der Liebesmess':
Lust in Kleingeld zu verwandeln
Wird doch niemals leicht.
Nun, es wird erreicht.
Doch man wird auch älter unterdes.
(Schließlich bleibt man ja auch nicht immer siebzehn.)
    Gottseidank geht alles schnell vorüber
    Auch die Liebe und der Kummer sogar.
    Wo sind die Tränen von gestern abend?
    Wo ist der Schnee vom vergangenen Jahr?

Das ist schade, daß es vergangen ist
Es war gut, und es hätte sollen bleiben
Wie schändlich, für eine kurze Frist
Daß wir es so treiben.

Es war leicht, ihn zu bekommen.
Es war möglich am zweiten Abend.
Ich wartete auf den dritten (und wußte
Das heißt etwas riskieren)
Dann sagte er lachend: das Badesalz ist es
Nicht dein Haar!
Aber es war leicht, ihn zu bekommen.

Ich ging einen Monat lang gleich nach der Umarmung,
Ich blieb jeden dritten Tag weg.
Ich schrieb nie.
Aber bewahre einen Schnee im Topf auf!
Er wird schmutzig von selbst.
Ich tat noch mehr als ich konnte
Als es schon aus war.

Ich habe die Menscher hinausgeworfen
Die bei ihm schliefen, als sei es in der Ordnung
Ich habe es lachend getan und weinend.
Ich habe den Gashahn geöffnet
Fünf Minuten bevor er kam. Ich habe
Geld auf seinen Namen geliehen:
Es hat nichts geholfen.

Aber eines Nachts schlief ich
Und eines Morgens stand ich auf
Da wusch ich mich vom Kopf bis zum Zeh
Aß und sagte zu mir:
Das ist fertig.

Die Wahrheit ist:
Ich habe noch zweimal mit ihm geschlafen
Aber, bei Gott und meiner Mutter:
Es war nichts.
Wie alles vorübergeht, so verging
Auch das.

Die Ballade vom Liebestod

1

Von schwarzem Regen siebenfach zerfressen
Ein schmieriger Gaumen, der die Liebe frißt
Mit Mullstores, die wie Totenlaken nässen:
Das ist die Kammer, die die letzte ist.

2

Aussätzig die Tapeten, weiß vom Schimmel!
In Hölzer sie gepfercht, verschweißt und hart:
Wie lieblich scheinet der verschlißne Himmel
Dem weißen Paare, das sich himmlisch paart.

3

Im Anfang sitzt er oft in nassen Tüchern
Und raucht Virginias, schwarz, die sie ihm gibt
Und nützt die Zeit, ihr nickend zu versichern
Mit halbgeschlossenem Lid, daß er sie liebt.

4

Sie fühlt, wie er behaart ist und so weise!
Er sieht im Schlitz des Lids den Tag verschwemmt
Und grün wie Seife wölkt sich das Gehäuse
Des Himmels und ihm schwant: jetzt fault mein Hemd.

5

Sie gießen Kognak in die trocknen Leichen
Er füttert sie mit grünem Abendlicht
Und es entzünden sich schon ihre Weichen
Und es verblaßt schon mählich ihr Gesicht.

6

Sie ist wie eine halbersoffne Wiese
(Sie sind verwaist und taub, im Fleische matt!)
Er will gern schlafen, wenn sie ihn nur ließe!
Ein grüner Himmel, der geregnet hat!

7

Am zweiten Tage hüllen sie die Leichen
In steife Tücher, der verschweißten Store
Und nehmen schmierige Laken in die Weichen
Weil sie jetzt wissen, daß es sie oft fror.

8

Und ach, die Liebe ging durch sie so schneidend
Wie wenn Gott Hageleis durch Wasser schmiß!
Und tief in ihnen quoll, sie ganz ausweidend
Und dick wie Hefe grüne Bitternis.

9

Von Schweiß, Urin Geruch in ihren Haaren
Sie wittern ferner nicht mehr Morgenluft.
Es kommt der Morgen wahrlich noch nach Jahren
Vertiert und grau in die Tapetengruft.

10

Ach, ihr zarter Kinderleib perlmuttern!
Holz und Liebe schlugen ihn so rauh
Schmilzt wie Holz salzflutzerschlagner Kutter
Unter Sturmflut! Gras in zuviel Tau!

Ach, die Hand an ihrer Brust wie gräsern!
In den Beinen schwarzer Pestgestank!
Milde Luft floß ab an Fenstergläsern
Und sie staken im verfaulten Schrank!

Wie Spülicht floß der Abend an die Scheiben
Und die Gardinen räudig von Tabak.
In grünen Wassern zwei Geliebte treiben
Von Liebe ganz durchregnet, wie ein Wrack

Am Meergrund, das geborsten, in den Tropen
Zwischen Algen und weißlichen Fischen hängt.
Und von einem Salzwind über der Fläche oben
Tief in den Wassern unten zu schaukeln anfängt.

Am vierten Tag, in der Früh, mit Streichen
Knirschender Äxte brachen Nachbarn ein
Und hörten Stille dort und sahen Leichen
(Und munkelten von einem grünen Schein

Der von Gesichtern ausgehn kann), auch roch noch
Verliebt das Bett, das Fenster borst vor Frost:
Ein Leichnam ist was Kaltes! Ach, es kroch noch
Ein schwarzer Faden Kälte aus der Brust.

1

Vor Jahren in meiner verflossenen Arche
Zur Zeit der Allerseelenstürme ein Weib
Die fuhr mit ins Schwarze. Immer schwankten um uns die
     Bohlen
Doch sie gab einen Halt, gab mir in die Hand ihren Leib.

2

In mancher orangenen Frühe zwischen den Hölzern
Knie an Knie noch während der Sturmwind schrie
Nachts sind schwarze Regen aus Sternenhöhen gefallen
Und ihr trunkener Takt war in unserem Knie.

3

Wohl verließen wir uns an einer Küste, im Riffgebiet
Das Schiff war auch leck. Der Abschied leicht. Ich war satt:
Wir sahen uns, bleich von der Lieb, noch in die Augen.
Viele Wochen noch war das Meer mir glatt.

4

Viele Wochen vergingen. Das Wasser drang in den Schiffsleib.
Wasser und Winde machten mich dann im Fleische matt.
Und durch Wasser und Wind fuhr ich fröhlich viele Wochen
Wie einer fährt, der an einer Küste eine Heimat hat.

5

Wiedergekehrt nach vielen Jahren, in meiner Hütte
Ein dicker Mann und sieben Kinder und sie
Dick und gleichgültig, Kalk über dem Munde
Wiewohl es warm in der Hütte war, fror ich wie nie.

6

Ja, ich fror, denn wiewohl ich eingedenk meiner Sünden
Untreu und Habsucht, der vielen Jahre meines verworfenen
  Gesichts!
Sagte ich zu Gott an diesem Tag: ich verzichtete nicht auf
  die Gnaden
Ich bin unwürdig. Aber ich verzichte nicht.

7

Dick werden ist schlau und in den kälteren Jahren
Vielen lieb: Dach der Hütte, Fische im Faß und des
  Ofens Rauch –
Aber ich erhebe die Stimme doch und weigere die Versöhnung
Und vielleicht bücke ich mich einst, den Balken auch!

8

Nach vielen Jahren, zu Schiff von Haiti gekommen
Vom Fieber gedörrt wie Pökelfleisch und vom Salzwind naß:
Sage ich: Ihre Stimme ist gar, ihr Gesicht ist verschwommen
Aber ich verzichte nicht, ich liebe auch das.

Vom ertrunkenen Mädchen

1

Als sie ertrunken war und hinunterschwamm
Von den Bächen in die größeren Flüsse
Schien der Opal des Himmels sehr wundersam
Als ob er die Leiche begütigen müsse.

2

Tang und Algen hielten sich an ihr ein
So daß sie langsam viel schwerer ward.
Kühl die Fische schwammen an ihrem Bein
Pflanzen und Tiere beschwerten noch ihre letzte Fahrt.

3

Und der Himmel ward abends dunkel wie Rauch
Und hielt nachts mit den Sternen das Licht in Schwebe.
Aber früh ward er hell, daß es auch
Noch für sie Morgen und Abend gebe.

4

Als ihr bleicher Leib im Wasser verfaulet war
Geschah es (sehr langsam), daß Gott sie allmählich vergaß
Erst ihr Gesicht, dann die Hände und ganz zuletzt erst
    ihr Haar.
Dann ward sie Aas in Flüssen mit vielem Aas.

Ballade vom Tod
des Anna-Gewölke-Gesichts

1

Sieben Jahre vergingen. Mit Kirsch und Wacholder
Spült er ihr Antlitz aus seinem Gehirn
Und das Loch in der Luft wurde schwärzer und voll der
Sintflut von Schnäpsen war leer dies Gehirn.

2

Mit Kirsch und Tabak, mit Orgeln und Orgien:
Wie war ihr Gesicht, als sie wegwich von hier?
Wie war ihr Gesicht? Es verschwamm in den Wolken?
He, Gesicht! Und er sah dieses weiße Papier!

3

Wohin immer er fuhr, an vielmal viel Küsten!
(Er fuhr nicht wohin bloß wie du und ich!)
Ihm schrie eine Stimme weiß über den Wassern
Eine Stimme, der ihre Lippe verblich . . .

4

Einmal sieht er noch ihr Gesicht: in der Wolke!
Es verblaßte schon sehr. Da er allzu lang blieb . . .
Einmal hörte er noch, fern im Wind, ihre Stimme
Sehr weit in dem Wind, in dem die Wolke hintrieb . . .

5

Aber in späteren Jahren verblieben
Ihm nur mehr Wolke und Wind, und die
Fingen an zu schweigen wie jene
Und fingen an zu vergehen wie sie.

6

Oh, wenn er durchnäßt von den salzigen Wässern
Von wilden Winden die wilden Hände zerfleischt
Hinunterschwimmt, vernimmt er als letztes
Eine Möwe, die über den Segeln noch kreischt!

7

Von den grünen Bitternissen, den Winden
Den fliegenden Himmeln, dem leuchtenden Schnee
Und Kirsch und Tabak und Orgeln blieb nichts mehr
Als ein Kreischen in Luft und ein Salzschlücklein See.

8

Aber immer zu jenen hinwelkenden Hügeln
In den weißen Winden des wilden April
Fliegen wie Wolken die blässeren Wünsche:
Ein Gesicht vergeht. Und ein Mund wird still.

Von einer Jugendgeliebten

Daß sie so ganz verloren ist
Tut mir herzlich leid
Und nicht als einem guten Christ
Kommt mir die Traurigkeit

Sondern ich bedenke
Daß sie so lieblich war
Sogar ihre Gelenke
Und vor allem: ihr Haar.

Das ist schade, daß es vergangen ist
Es war gut, und es hätte sollen bleiben
Wie schändlich, für eine kurze Frist
Daß wir es so treiben.

An M

In jener Nacht, wo du nicht kamst
Schlief ich nicht ein, sondern ging oftmals vor die Türe
Und es regnete, und ich ging wieder hinein.

Damals wußte ich es nicht: Aber jetzt weiß ich es:
In jener Nacht war es schon wie in jenen späteren Nächten
Wo du nie mehr kamst, und ich schlief nicht
Und wartete schon fast nicht mehr
Aber oft ging ich vor die Tür
Weil es dort regnete und kühl war.

Aber nach jenen Nächten und auch in späteren Jahren noch
Hörte ich, wenn der Regen tropfte, deine Schritte
Vor der Tür und im Wind deine Stimme
Und dein Weinen an der kalten Ecke, denn
Du konntest nicht herein.

Darum stand ich oft auf in der Nacht und
Ging vor die Tür und machte sie auf und
Ließ herein, wer da keine Heimat hatte.
Und es kamen Bettler und Huren, Gelichter
Und allerlei Volk.

Jetzt sind viele Jahre vergangen, und wenn auch
Noch Regen tropft und Wind geht
Wenn du jetzt kämst in der Nacht, ich weiß
Ich kennte dich nicht mehr, deine Stimme nicht
Und nicht dein Gesicht, denn es ist anders geworden.

Aber immer noch höre ich Schritte im Wind
Und Weinen im Regen und daß jemand
Herein will.

(Obgleich du doch damals nicht kamst, Geliebte, und ich war es,
    der wartete –!)
Und ich will hinausgehen vor die Tür
Und aufmachen und sehen, ob niemand gekommen ist.
Aber ich stehe nicht auf und gehe nicht hinaus und sehe nicht
Und es kommt auch niemand.

Einmal nur über dem Pfühle
Sah er dies Pfirsichgesicht
Sah es mit dem Gefühle:
Zweimal siehst du es nicht.

Als sie dann gegessen hatten
Daß er noch raste
Stellt er dem Gaste
Den Stuhl in den Schatten

Wenn er um die Hecke biegt
Winkt er ihm nach noch.
Dann blickt er nach oben: Das Ruder liegt
Auf dem Dach noch.

Mochte es leer erscheinen
Ohne Licht das Haus:
Wartete er auf keinen
Blieb auch keiner aus.

Immer wieder
Wenn ich diesen Mann ansehe
Er hat nicht getrunken und
Er hat sein altes Lachen
Denke ich: es geht besser.
Der Frühling kommt, eine gute Zeit kommt
Die Zeit, die vergangen ist
Ist zurückgekehrt
Die Liebe beginnt wieder, bald
Ist es wie einst.

Immer wieder
Wenn ich mit ihm geredet habe
Er hat gegessen und geht nicht weg
Er spricht mit mir und
Hat seinen Hut nicht auf
Denke ich: es wird gut
Die gewöhnliche Zeit ist um
Mit einem Menschen
Kann man sprechen, er hört zu
Die Liebe beginnt wieder, bald
Ist alles wie einst.

Der Regen
Kehrt nicht zurück nach oben.
Wenn die Wunde
Nicht mehr schmerzt
Schmerzt die Narbe.

Zieh ins Feld ich traurig meiner Straßen
Mußt zu Hause meine Liebste lassen.
Solln die Freunde hüten ihre Ehre
Bis ich aus dem Felde wiederkehre.

Wenn ich auf dem Kirchhof liegen werde
Bringt die Liebste mir ein Handvoll Erde.
Sagt: Hier ruhn die Füße, die zu mir gegangen
Hier die Arme, die mich oft umfangen.

Der abgerissene Strick kann wieder geknotet werden
Er hält wieder, aber
Er ist zerrissen.

Vielleicht begegnen wir uns wieder, aber da
Wo du mich verlassen hast
Triffst du mich nicht wieder.

1

Es dauerte lange, bis ich damit versöhnt war
Daß meine Liebe zu dir erstarkte
Und richtig, als ich an dich gewöhnt war
Warst du immer noch auf dem Markte.

2

Du lauerst und wirst belauert
Du fischst noch und wirst gefischt
Während die Flamme noch dauert
Wünsche ich, daß sie erlischt.

Ich habe dich nie je so geliebt, ma sœur
Als wie ich fortging von dir in jenem Abendrot.
Der Wald schluckte mich, der blaue Wald, ma sœur
Über dem immer schon die bleichen Gestirne im Westen
    standen.

Ich lachte kein klein wenig, gar nicht, ma sœur
Der ich spielend dunklem Schicksal entgegenging –
Während schon die Gesichter hinter mir
Langsam im Abend des blauen Walds verblaßten.
Alles war schön an diesem einzigen Abend, ma sœur
Nachher nie wieder und nie zuvor –
Freilich: mir blieben nur mehr die großen Vögel
Die abends im dunklen Himmel Hunger haben.

Zum vierten Male teilst du mir mit
Daß du alle Brücken hinter dir verbrannt hast
Alle Briefe vernichtet, alle Behauptungen zurückgenommen hast
Dich in einem Taumel des Neuen befindest und
Diesmal endgültig.
Lieber hätte ich von dir gehört, du seist
Neuem auf der Spur, brauchtest aber Zeit
Seist gut gelaunt und freuest dich
Deiner guten Beziehungen.
Denn so sehe ich dich nur bald wieder
Am Bau neuer Brücken, Sammeln von Briefen und Aufstellen
      von Behauptungen
Müdigkeit des Alten, und wieder nicht endgültig.

Erinnerung an die Marie A.

An jenem Tag im blauen Mond September
Still unter einem jungen Pflaumenbaum
Da hielt ich sie, die stille bleiche Liebe
In meinem Arm wie einen holden Traum.
Und über uns im schönen Sommerhimmel
War eine Wolke, die ich lange sah
Sie war sehr weiß und ungeheuer oben
Und als ich aufsah, war sie nimmer da.

2

Seit jenem Tag sind viele, viele Monde
Geschwommen still hinunter und vorbei.
Die Pflaumenbäume sind wohl abgehauen
Und fragst du mich, was mit der Liebe sei?
So sag ich dir: ich kann mich nicht erinnern
Und doch, gewiß, ich weiß schon, was du meinst.
Doch ihr Gesicht, das weiß ich wirklich nimmer
Ich weiß nur mehr: ich küßte es dereinst.

3

Und auch den Kuß, ich hätt ihn längst vergessen
Wenn nicht die Wolke dagewesen wär
Die weiß ich noch und werd ich immer wissen
Sie war sehr weiß und kam von oben her.
Die Pflaumenbäume blühn vielleicht noch immer
Und jene Frau hat jetzt vielleicht das siebte Kind
Doch jene Wolke blühte nur Minuten
Und als ich aufsah, schwand sie schon im Wind.

Von He (9. Psalm)

Hört, Freunde, ich singe euch das Lied von He,
der Dunkelhäutigen, meiner Geliebten über sechzehn Monate
bis zu ihrer Auflösung.

Sie wurde nicht alt, sie hatte wahllose Hände, sie verkaufte
die Haut für eine Tasse Tee und sich selbst für eine Peitsche!
Sie lief sich müd zwischen den Weiden, He!

Sie reichte sich dar wie eine Frucht, aber sie wurde nicht
angenommen. Viele hatten sie im Maul und spien sie wieder
aus, He, die Gute! He, die Geliebte!

Sie wußte, was eine Frau ist im Hirn, aber nicht mit den
Knien, sie wußte den Weg, wo es hell war mit den Augen, aber
im Dunkeln wußte sie ihn nicht.

Nachts war sie elend, blind vor Eitelkeit, He, und die Frauen
sind Nachttiere und sie war kein Nachttier.

Sie war nicht weise wie Bi, die Liebliche, die Pflanze Bi, sie
lief immerfort herum und ihr Herz war ohne Gedanken.

Darum starb sie im fünften Monat des Jahres 20, eines
schnellen Todes, heimlich, als niemand hinsah, und ging hin
wie eine Wolke, von der es heißt: sie war nie gewesen.

Ballade vom Förster und der Gräfin

Es lebt eine Gräfin in schwedischem Land
Die war ja so schön und so bleich.
»Herr Förster, Herr Förster, mein Strumpfband ist los!
Es ist los, es ist los!
Förster, knie nieder und bind es mir gleich!«

»Frau Gräfin, Frau Gräfin, seht so mich nicht an
Ich diene Euch ja für mein Brot!
Eure Brüste sind weiß, doch das Handbeil ist kalt
Es ist kalt, es ist kalt!
Süß ist die Liebe, doch bitter der Tod.«

Der Förster, der floh in derselbigen Nacht.
Er ritt bis hinab zu der See.
»Herr Schiffer, Herr Schiffer, nimm mich auf in dein Boot!
In dein Boot, in dein Boot!
Schiffer, ich muß bis ans Ende der See.«

Es war eine Lieb zwischen Füchsin und Hahn
»Oh, Goldener, liebst du mich auch?«
Und fein war der Abend, doch dann kam die Früh
Kam die Früh, kam die Früh:
All seine Federn, sie hängen im Strauch.

Du weißt es:
wer gebraucht wird,
ist nicht frei.
Ich aber brauche dich,
wie's immer sei
Ich sage ich
und könnt auch sagen wir.

Die Liebenden

Sieh jene Kraniche in großem Bogen!
Die Wolken, welche ihnen beigegeben
Zogen mit ihnen schon, als sie entflogen
Aus einem Leben in ein andres Leben.
In gleicher Höhe und mit gleicher Eile
Scheinen sie alle beide nur daneben.
Daß so der Kranich mit der Wolke teile
Den schönen Himmel, den sie kurz befliegen
Daß also keines länger hier verweile
Und keines andres sehe als das Wiegen
Des andern in dem Wind, den beide spüren
Die jetzt im Fluge beieinander liegen
So mag der Wind sie in das Nichts entführen.
Wenn sie nur nicht vergehen und sich bleiben
So lange kann sie beide nichts berühren
So lange kann man sie von jedem Ort vertreiben
Wo Regen drohen oder Schüsse schallen.
So unter Sonn und Monds wenig verschiedenen Scheiben
Fliegen sie hin, einander ganz verfallen.
Wohin, ihr? – Nirgend hin. – Von wem davon? – Von allen.
Ihr fragt, wie lange sind sie schon beisammen?
Seit kurzem. – Und wann werden sie sich trennen? – Bald.
So scheint die Liebe Liebenden ein Halt.

Ich will mit dem gehen, den ich liebe.
Ich will nicht ausrechnen, was es kostet.
Ich will nicht nachdenken, ob es gut ist.
Ich will nicht wissen, ob er mich liebt.
Ich will mit ihm gehen, den ich liebe.

Morgens und abends
zu lesen

Der, den ich liebe
Hat mir gesagt
Daß er mich braucht.

Darum
Gebe ich auf mich acht
Sehe auf meinen Weg und
Fürchte von jedem Regentropfen
Daß er mich erschlagen könnte.

Allem, was du empfindest, gib
Die kleinste Größe.

Er hat gesagt, ohne dich
Kann er nicht leben. Rechne also damit, wenn du ihn
    wieder triffst
Erkennt er dich wieder.

Tue mir also den Gefallen und liebe mich nicht zu sehr.

Als ich das letzte Mal geliebt wurde, erhielt ich alle die
    Zeit über
Nicht die kleinste Freundlichkeit.

Als wir so lang getrennt wie vordem nie
Durchsuchte ich mit Furcht schon deine Briefe auf gewisse
Mir unbekannte Wörter, die mir sagten, du seist nicht mehr die
Die ich so kenne und so sehr vermisse.

Und 's müßt doch so sein, daß wir, uns erblickend
Sogleich erkennten unsre großen Nöte

Liebeslieder

Als ich nachher von dir ging
An dem großen Heute
Sah ich, als ich sehn anfing
Lauter lustige Leute.

Und seit jener Abendstund
Weißt schon, die ich meine
Hab ich einen schönern Mund
Und geschicktere Beine.

Grüner ist, seit ich so fühl
Baum und Strauch und Wiese
Und das Wasser schöner kühl
Wenn ich's auf mich gieße.

Lied einer Liebenden

Wenn du mich lustig machst
Dann denk ich manchmal:
Jetzt könnt ich sterben
Dann blieb ich glücklich
Bis an mein End.

Wenn du dann alt bist
Und du an mich denkst
Seh ich wie heut aus
Und hast ein Liebchen
Das ist noch jung.

Sieben Rosen hat der Strauch
Sechs gehör'n dem Wind
Aber eine bleibt, daß auch
Ich noch eine find.

Sieben Male ruf ich dich
Sechsmal bleibe fort
Doch beim siebten Mal, versprich
Komme auf ein Wort.

IV

Die Liebste gab mir einen Zweig
Mit gelbem Laub daran.

Das Jahr, es geht zu Ende
Die Liebe fängt erst an.

Wie es war

1

Erst ließ Freude mich nicht schlafen
Dann hielt Kummer nachts die Wacht.
Als mich beide nicht mehr trafen
Schlief ich. Aber ach, es bracht
Jeder Maienmorgen mir Novembernacht.

2

Deine Sorg war meine Sorg
Meine Sorg war deine
Hattest du eine Freud nicht mit
Hat ich selber keine.

Schicke mir ein Blatt, doch von einem Strauche
Der nicht näher als eine halbe Stunde
Von deinem Haus wächst, dann
Mußt du gehen und wirst stark, und ich
Bedanke mich für das hübsche Blatt.

Ach, wie sollen wir die kleine Rose buchen?
Plötzlich dunkelrot und jung und nah?
Ach, wir kamen nicht, sie zu besuchen
Aber als wir kamen, war sie da.

Eh sie da war, ward sie nicht erwartet.
Als sie da war, ward sie kaum geglaubt.
Ach, zum Ziele kam, was nie gestartet.
Aber war es so nicht überhaupt?

Das Lied vom kleinen Wind

Eil, Liebster, zu mir, teurer Gast
Wie ich kein teurern find
Doch wenn du mich im Arme hast
Dann sei nicht zu geschwind.
    Nimms von den Pflaumen im Herbste
    Wo reif zum Pflücken sind
    Und haben Furcht vorm mächtigen Sturm
    Und Lust aufn kleinen Wind.
    So'n kleiner Wind, du spürst ihn kaum
    's ist wie ein sanftes Wiegen.
    Die Pflaumen wolln ja so vom Baum
    Wolln aufm Boden liegen.

Ach, Schnitter, laß es sein genug
Laß, Schnitter, *ein* Halm stehn!
Trink nicht dein Wein auf einen Zug
Und küß mich nicht im Gehn.
    Nimms von den Pflaumen im Herbste
    Wo reif zum Pflücken sind
    Und haben Furcht vorm mächtigen Sturm
    Und Lust aufn kleinen Wind.
    So'n kleiner Wind, du spürst ihn kaum
    's ist wie ein sanftes Wiegen.
    Die Pflaumen wolln ja so vom Baum
    Wolln aufm Boden liegen.

Entdeckung an einer jungen Frau

Des Morgens nüchterner Abschied, eine Frau
Kühl zwischen Tür und Angel, kühl besehn.
Da sah ich: eine Strähn in ihrem Haar war grau
Ich konnt mich nicht entschließen mehr zu gehn.

Stumm nahm ich ihre Brust, und als sie fragte
Warum ich Nachtgast nach Verlauf der Nacht
Nicht gehen wolle, denn so war's gedacht
Sah ich sie unumwunden an und sagte:

Ist's nur noch eine Nacht, will ich noch bleiben
Doch nütze deine Zeit; das ist das Schlimme
Daß du so zwischen Tür und Angel stehst.

Und laß uns die Gespräche rascher treiben
Denn wir vergaßen ganz, daß du vergehst.
Und es verschlug Begierde mir die Stimme.

Das erste Sonett

Als wir zerfielen einst in DU und ICH
Und unsere Betten standen HIER und DORT
Ernannten wir ein unauffällig Wort
Das sollte heißen: ich berühre dich.

Es scheint: solch Redens Freude sei gering
Denn das Berühren selbst ist unersetzlich
Doch wenigstens wurd »sie« so unverletzlich
Und aufgespart wie ein gepfändet Ding.

Blieb zugeeignet und wurd doch entzogen
War nicht zu brauchen und war doch vorhanden
War wohl nicht da, doch wenigstens nicht fort

Und wenn um uns die fremden Leute standen
Gebrauchten wir geläufig dieses Wort
Und wußten gleich: wir waren uns gewogen.

Das zehnte Sonett

Am liebsten aber nenne ich dich Muck
Weil du mir, wenn du aufmuckst, so gefällst
Wenn du den Klassiker zur Rede stellst
Sei's, daß du Seiten ordnest für den Druck
Sei's, daß er dich schnell anlangt an den Beinen.

Sogleich bestreitest du, daß du mich kennst
Und was wir tun, mit meinem Worte nennst
Wie kann ich Tölpel sowas von dir meinen?

Zornig und fremd sitzt du mir gegenüber
»Was wagt der Mensch, er ist mir unbekannt!«

Und mein Erstaunen ist noch nicht vorüber
Wenn in dir sichtlich eine Freude wächst
Und streng noch schreibst du hin den neuen Text
Und plötzlich holst du dir dann meine Hand.

Das achte Sonett

Nachts, wo die Wäsche an der Hecke hing . . .
Am Bach im Wald, du standest, rings war Wildnis . . .
Im kleinen Holzbett, unterm Bronzebildnis . . .
Auf schwedischem Bett im Arbeitsraum; er fing

Eben zu trocknen an . . . am Hang, bei großer Schräge . . .
Im Eck der Schreibstub, zwischen Fenster und Schrank . . .
Im Gasthof, der Petroleumofen stank . . .
Im Lagereck der Schreibstub, essensträge . . .

Im Kloster, durch Klaviere aufgebracht . . .
Möbliert, du warfst den Schlüssel vom Balkon . . .
Im einen Zimmer des Hotels . . . in beiden . . .

Im Vaterland der Werktätigen . . . schon
Zu jeder Stund des Tags . . . und auch der Nacht . . .
In gut vier Ländern . . . allen Jahreszeiten . . .

Die Requisiten der Weigel

Seht hier den Hocker und den alten Spiegel
Vor den sie sich, im Schoß die Rolle, setzte
Den Schminkstift seht, den winzigen Farbentiegel
Und hier das Netz, das sie als Fischweib netzte!

Doch seht auch, aus der Zeit der Flucht, nun das gelochte
Fünförstück und den abgelaufnen Schuh, das Messingkar
In dem sie für die Kinder Blaubeern kochte
Das Holz, auf dem der Teig geknetet war!

Womit in Glück und Unglück sie hantierte
Dem euren und dem ihren, hier steh es zur Schau!
O große Kostbarkeit, die sich nicht zierte!
Schauspielerin und Flüchtling, Magd und Frau!

Das elfte Sonett

Als ich dich in das fremde Land verschickte
Sucht ich dir, rechnend mit sehr kalten Wintern
Die dicksten Hosen aus für den (geliebten) Hintern
Und für die Beine Strümpfe, gut gestrickte!

Für deine Brust und für unten am Leibe
Und für den Rücken sucht ich reine Wolle
Damit sie, was ich liebe, wärmen solle
Und etwas Wärme von dir bei mir bleibe.

So zog ich diesmal dich mit Sorgfalt an
Wie ich dich manchmal auszog (viel zu selten!
Ich wünscht, ich hätt das öfter noch getan!)

Mein Anziehn sollt dir wie ein Ausziehn gelten!
Nunmehr ist, dacht ich, alles gut verwahrt
Daß es auch nicht erkalt', so aufgespart.

Fragen

Schreib mir, was du anhast! Ist es warm?
Schreib mir, wie du liegst! Liegst du auch weich?
Schreib mir, wie du aussiehst! Ist's noch gleich?
Schreib mir, was dir fehlt! Ist es mein Arm?

Schreib mir, wie's dir geht! Verschont man dich?
Schreib mir, was sie treiben! Reicht dein Mut?
Schreib mir, was du tust! Ist es auch gut?
Schreib mir, woran denkst du? Bin es ich?

Freilich hab ich dir nur meine Fragen!
Und die Antwort hör ich, wie sie fällt!
Wenn du müd bist, kann ich dir nichts tragen.

Hungerst du, hab ich dir nichts zum Essen.
Und so bin ich grad wie aus der Welt
Nicht mehr da, als hätt ich dich vergessen.

Sonett Nr. 19

Nur eines möcht ich nicht: daß du mich fliehst.
Ich will dich hören, selbst wenn du nur klagst.
Denn wenn du taub wärst, braucht ich, was du sagst
Und wenn du stumm wärst, braucht ich, was du siehst

Und wenn du blind wärst, möcht ich dich doch sehn.
Du bist mir beigesellt als meine Wacht:
Der lange Weg ist noch nicht halb verbracht
Bedenk das Dunkel, in dem wir noch stehn!

So gilt kein »Laß mich, denn ich bin verwundet!«
So gilt kein »Irgendwo« und nur ein »Hier«
Der Dienst wird nicht gestrichen, nur gestundet.

Du weißt es: wer gebraucht wird, ist nicht frei.
Ich aber brauche dich, wie's immer sei
Ich sage ich und könnt auch sagen wir.

Ardens sed virens

Herrlich, was im schönen Feuer
Nicht zu kalter Asche kehrt!
Schwester, sieh, du bist mir teuer
Brennend, aber nicht verzehrt.

Viele sah ich schlau erkalten
Hitzige stürzen unbelehrt
Schwester, dich kann ich behalten
Brennend, aber nicht verzehrt.

Ach, für dich stand, wegzureiten
Hinterm Schlachtfeld nie ein Pferd
Darum sah ich dich mit Vorsicht streiten
Brennend, aber nicht verzehrt.

Geh ich zeitig in die Leere
Komm ich aus der Leere voll.
Wenn ich mit dem Nichts verkehre
Weiß ich wieder, was ich soll.

Wenn ich liebe, wenn ich fühle
Ist es eben auch Verschleiß
Aber dann, in der Kühle
Werd ich wieder heiß.

Der Orangenkauf

Bei gelbem Nebel in Southampton Street
Plötzlich ein Karren Obst mit einer Lampe
An Tüten zupfend eine alte Schlampe
Ich blieb stumm stehn wie einer, der was sieht
Nach was er lief: nun wurd's ihm hingestellt.

Orangen mußten es doch immer sein!
Ich haucht in meine Hand mir Wärme ein
Und fischte in der Tasche schnell nach Geld

Doch zwischen dem, daß ich die Pennies griff
Und nach dem Preis sah, der auf Zeitungsblatt
Mit schmieriger Kohle aufgeschrieben war
Bemerkte ich, daß ich schon leise pfiff
Mit einem wurd's mir nämlich bitter klar:
Du bist ja gar nicht da in dieser Stadt.

Vergeblicher Anruf

O dünnes Sausen in der schwarzen Muschel!
Statt schnellen Herzschlags nur ein leer Geticke!
Dann kommt, wie zwischen sieben Städten, ein Getuschel
Und eine müde Stimme, »svarer ikke«.

So muß die ferne Kammer also leer sein!
Du bist nicht hier. Nun bist du auch nicht dort.
Es ist als hörte ich: das Schiff muß auf dem Meer sein
Nach allen Seiten ganz unrufbar fort!

Das Zwiegespräch, das keine Stimmen brauchte
(Das Ungesprochne wurde doch gehört
Und es gab Fragen, ganz neu aufgetauchte!)
Nun erst ist unser Zwiegespräch gestört.

Bidi in Peking
Im Allgäu Bi
Guten, sagt er
Morgen, sagt sie.

Schwächen

Du hattest keine
Ich hatte eine:
Ich liebte.

Der Abschied

Wir umarmen uns.
Ich fasse reichen Stoff
Du fassest armen.
Die Umarmung ist schnell
Du gehst zu einem Mahl
Hinter mir sind die Schergen.
Wir sprechen vom Wetter und von unsrer
Dauernden Freundschaft. Alles andere
Wäre zu bitter.

Es ist viele Jahre her,
und zuzeiten
weiß ich nichts mehr von ihr,
die einst alles war,
aber alles vergeht.

Gesang von einer Geliebten (7. Psalm)

1. Ich weiß es, Geliebte: jetzt fallen mir die Haare aus vom wüsten Leben, und ich muß auf den Steinen liegen. Ihr seht mich trinken den billigsten Schnaps, und ich gehe bloß im Wind.

2. Aber es gab eine Zeit, Geliebte, wo ich rein war.

3. Ich hatte eine Frau, die war stärker als ich, wie das Gras stärker ist als der Stier: es richtet sich wieder auf.

4. Sie sah, daß ich böse war, und liebte mich.

5. Sie fragte nicht, wohin der Weg ging, der ihr Weg war, und vielleicht ging er hinunter. Als sie mir ihren Leib gab, sagte sie: Das ist alles. Und es wurde mein Leib.

6. Jetzt ist sie nirgends mehr, sie verschwand wie die Wolke, wenn es geregnet hat, ich ließ sie, und sie fiel abwärts, denn dies war ihr Weg.

7. Aber nachts, zuweilen, wenn ihr mich trinken seht, sehe ich ihr Gesicht, bleich im Wind, stark und mir zugewandt, und ich verbeuge mich in den Wind.

Auch das Beschädigte
Nimm es in Kauf
Dies nicht Bestätigte
Schnell, gib es auf!

Dulde den mindern
Liebreiz der Wang
Siehe, der Hintern
Gleicht sich noch lang.

Der du's versiebt hast
Halt, was verblieb
Du, der geliebt hast
Nimm jetzt vorlieb!

Sentimentales Lied Nr. 78

Ach, in jener Nacht der Liebe
Schlief ich einmal müde ein:
Und ich sah voll grüner Triebe
Einen Baum im Sonnenschein.

Und ich dachte schon im Traume
Von dem Baum im Sonnenschein:
Unter diesem grünen Baume
Will auch *ich* begraben sein.

Als ich dann an dir erwachte
In dem Linnen weiß und rein:
Ach, in diesem Linnen, dachte
Ich, will ich begraben sein.

Und der Mond schien nun ganz sachte
Still in die Gardinen ein
Und ich lag ganz still und dachte
Wann wird mein Begräbnis sein?

Als ich dann an deinem warmen
Leiblein lag und deinem Bein
Dachte ich, in diesen Armen
Will ich einst begraben sein.

Und ich sah euch wie ein Erbe
Weinend um mein Bette stehn
Und ich dachte: wenn ich sterbe
Müssen sie mich lassen gehn.

Die ihr viel gabt: euch wird's reuen
Daß ihr mir nicht alles gabt:
Und es wird euch nimmer freuen
Daß ihr mich beleidigt habt.

Und immer wieder gab es Abendröte
Geruch von Asphalt und von Thymian
Sie harrten immer drauf, daß er sie töte
Er aber, lässig, dachte nicht daran.

2

Die Himmel, strahlend wie die großen Lügen
Sie narrten sie: das alles hielt sie auf.
Er wollte wissen, wie lang sie's ertrügen
Sie aber, hilflos, kamen nicht darauf.

3

Und wenn sie fragten, ob er denn dann wünsche
Daß sie verzichteten, dann schwieg er auch.
Und ließ sie stehen in den dunklen Büschen
Und sagte nichts und hüllte sich in Rauch.

4

Sie aber sagten ja ins Ungewisse
Und gaben's auf und sanken in die Knie
Und schon vergingen ihre Bitternisse
(Und etwas früher noch vergingen sie).

Sonett

Was ich von früher her noch kannte, war
Sausen von Wasser oder: von einem Wald
Jenseits des Fensters, doch entschlief ich bald
Und lag abwesend lang in ihrem Haar.

Drum weiß ich nichts von ihr als, ganz von Nacht zerstö
Etwas von ihrem Knie, nicht viel von ihrem Hals
In schwarzem Haar Geruch von Badesalz
Und was ich vordem über sie gehört.

Man sagt mir, ihr Gesicht vergäß sich schnell
Weil es vielleicht auf etwas Durchsicht hat
Das leer ist wie ein unbeschriebenes Blatt.

Doch sagte man, ihr Antlitz sei nicht hell
Sie selber wisse, daß man sie vergißt
Wenn sie dies läs, sie wüßt nicht, wer es ist.

Der Gast

Sie fragt ihn viel, wiewohl es draußen nachtet
An sieben Jahre gibt er eilends aus
Und hört: im Hofe wird ein Huhn geschlachtet
Und weiß: es ist kein zweites mehr im Haus.

Er wird vom Fleische wenig essen morgen.
Sie sagt: Greif zu; er sagt: Ich bin noch satt.
Wo warst du gestern, vor du kamst? – Geborgen!
Und woher kommst du? – Aus der nächsten Stadt!

Nun steht er eilends auf, die Zeit entflieht!
Er sagt ihr lächelnd: Lebe wohl! – Und du?
Zögernd entfällt ihr seine Hand: sie sieht
Ihr unbekannten Staub auf seinem Schuh.

Das vierte Sonett

Den du so freundlich eingeladen hast:
Du hattest keinen Ort, ihn zu empfangen.
Bevor er ging, beschwerte sich dein Gast
Gekommen eilig, eilig auch gegangen.

Fandst du ihm, den du einludst, keinen Raum?
Der ärmste Bettler findet seinem Gast ein Brot!
Hier tat kein Haus und keine Kammer not
Nur ein klein Obdach hinter einem Baum!

Denn ohne das war seiner man nicht froh
Schnell abgefertigt, schien er unwillkommen
Ihn da zu haben, schien recht unerquicklich!

So ward der Mut ihm, da zu sein, genommen
All seine Wünsche schienen ihm jetzt roh
Und seine Eile schien ihm nicht mehr schicklich.

Liebeslied aus einer schlechten Zeit

Wir waren miteinander nicht befreundet
Doch haben wir einander beigewohnt.
Als wir einander in den Armen lagen
War'n wir einander fremder als der Mond.

Und träfen wir uns heute auf dem Markte
Wir könnten uns um ein paar Fische schlagen:
Wir waren miteinander nicht befreundet
Als wir einander in den Armen lagen.

»Ach, nur der flüchtige Blick
Sah sie genau
War nur durch solchen Trick
Mann meiner Frau.«

»Nur im Vorübergehn
Hatt' ich ihn ganz
War doch, fast unbesehn
Frau meines Manns.«

Haben die Zeit vertan
Bis uns die Zeit getrennt
Und, schon den Mantel an
Uns dann umarmt am End.

Ein bitteres Liebeslied

Mag es jetzt sein, wie es will
Einmal hatt' ich sie sehr lieb
Darum weiß ich auch: Einmal
Muß sie sehr schön gewesen sein.

Wohl weiß ich jetzt nicht mehr, wie sie da aussah:
Ein Tag verlöschte, was sieben Monde lang strahlend war

Gesang aus dem Aquarium (5. Psalm)

Ich habe den Becher geleert bis zur Neige. Ich bin nämlich verführt worden.

Ich war ein Kind, und man liebte mich.

Die Welt verzweifelte, denn ich blieb rein. Sie wälzte sich
auf dem Boden vor mir, mit weichen Gliedern und locken-
den Hinterteilen. Ich blieb standhaft.

Sie zu besänftigen, als sie es zu arg trieb, legte ich mich zu
ihr und wurde unrein.

Die Sünde befriedigte mich. Die Philosophie half mir im
Morgengrauen, wenn ich wachlag. Ich wurde so, wie man
mich wollte.

Ich sah lange nach oben und glaubte, der Himmel sei
traurig über mich. Aber ich sah, daß ich *ihm* gleichgültig
war. Er liebte sich selbst.

Jetzt bin ich lange ertrunken. Ich liege dick auf dem
Grund. Fische wohnen in mir. Das Meer geht zur Neige.

An Bittersweet

So halb im Schlaf in bleicher Dämmerung
An deinem Leib, so manche Nacht, *der* Traum:
Gespenstige Chausseen unter abendbleichen
Sehr kalten Himmeln. Bleiche Winde. Krähen
Die nach der Speise schrein, und nachts kommt Regen.
Mit Wind und Wolken, Jahre über Jahre
Verschwimmt dein Antlitz, Bittersüße, wieder.
Und in dem kalten Wind fühl ich erschauernd
Leicht deinen Leib, so, halb im Schlaf, in Dämmerung
Ein wenig Bitternis noch im Gehirn.

Vision in Weiß (1. Psalm)

1. Nachts erwache ich schweißgebadet am Husten, der mir den Hals einschnürt. Meine Kammer ist zu eng. Sie ist voll von Erzengeln.

2. Ich weiß es: Ich habe zuviel geliebt. Ich habe zuviel Leiber gefüllt, zuviel orangene Himmel verbraucht. Ich soll ausgerottet werden.

3. Die weißen Leiber, die weichsten davon, haben meine Wärme gestohlen, sie gingen dick von mir. Jetzt friere ich. Man deckt mich mit vielen Betten zu, ich ersticke.

4. Ich argwöhne: man wird mich mit Weihrauch ausräuchern wollen. Meine Kammer ist überschwemmt mit Weihwasser. Sie sagen: ich habe die Weihwassersucht. Das ist dann tödlich.

5. Meine Geliebten bringen ein bißchen Kalk mit, in den Händen, die ich geküßt habe. Es wird die Rechnung präsentiert über die orangenen Himmel, die Leiber und das andere. Ich kann nicht bezahlen.

6. Lieber sterbe ich. – Ich lehne mich zurück. Ich schließe die Augen. Die Erzengel klatschen.

Gesang von der Frau (11. Psalm)

1. Abends am Fluß in dem dunklen Herz der Gesträucher sehe ich manchmal wieder ihr Gesicht, der Frau, die ich liebte: meiner Frau, die nun gestorben ist.

2. Es ist viele Jahre her, und zuzeiten weiß ich nichts mehr von ihr, die einst alles war, aber alles vergeht.

3. Und sie war in mir wie ein kleiner Wacholder in mongolischen Steppen, konkav mit fahlgelbem Himmel und großer Traurigkeit.

4. Wir hausten in einer schwarzen Hütte am Fluß. Die Stechfliegen zerstachen oft ihren weißen Leib, und ich las die Zeitung siebenmal oder ich sagte: dein Haar ist schmutzfarben. Oder: du hast kein Herz.

5. Doch eines Tages, da ich mein Hemd wusch in der Hütte, ging sie an das Tor und sah mich an und wollte hinaus.

6. Und der sie geschlagen hatte, bis er müde war, sagte: mein Engel –

7. Und der gesagt hatte: ich liebe dich, führte sie hinaus und sah lächelnd hin in die Luft und lobte das Wetter und gab ihr die Hand.

8. Da sie nun draußen war in der Luft, und es ward öde in der Hütte, schloß er das Tor zu und setzte sich hinter die Zeitung.

9. Seitdem habe ich sie nicht mehr gesehen, und einzig von ihr blieb der kleine Schrei, den sie machte, als sie zurück an das Tor kam am Morgen, da es schon zu war.

10. Nun ist die Hütte verfault und die Brust ausgestopft mit Zeitungspapier, und ich liege abends am Fluß im dunklen Herz der Gesträucher und erinnere mich.

11. Der Wind hat Grasgeruch im Haar, und das Wasser schreit unaufhörlich um Ruhe zu Gott, und auf meiner Zunge habe ich einen bitteren Geschmack.

Anhang:

Geheimnisse des Liebeslebens
sowie Ratschläge
und Lehren

Die Geheimnisse des Liebeslebens

Es walten zwei Geschicke in der Liebe
Das eine wird geliebt, das andre liebt
Eins erntet Balsam und das andre Hiebe
Es nimmt das eine und das andre gibt.
Verhülle dein Gesicht, wenn Glut es rötet.
Verbiet dem Busen zu gestehen, was er litt!
Reich ihm, den du da liebst, das Messer, und er tötet.
Weiß er, du liebst ihn, macht er seinen Schnitt.

Der Anstatt-daß-Song

Anstatt daß
Sie zu Hause bleiben und in ihrem Bett
Brauchen sie Spaß!
Grad als ob man ihnen eine Extrawurst gebraten hätt.

Das ist der Mond über Soho
Das ist der verdammte »Fühlst-du-mein-Herz-Schlagen«-Tex
Das ist das »Wenn du wohin gehst, geh auch ich wohin, Johnny
Wenn die Liebe anhebt und der Mond noch wächst.

Anstatt daß
Sie was täten, was 'nen Sinn hat und 'nen Zweck
Machen sie Spaß!
Und verrecken dann natürlich glatt im Dreck.

Wo ist dann ihr Mond über Soho?
Wo bleibt dann ihr verdammter »Fühlst-du-mein-Herz-
    Schlagen«-Text
Wo ist dann das »Wenn du wohin gehst, geh auch ich wohin,
    Johnny!«
Wenn die Liebe aus ist und im Dreck du verreckst?

Viktorias Lied

Es gibt im Leben Augenblicke
Wo vor dir herrisch eine Frage steht:
Folgst du der Leidenschaft und dem Geschicke
Folgst du nicht lieber dem, was die Vernunft dir rät?
   Doch die Brust, sie schwillt von Gefühlen
   Bedrängend den armen Sinn
   Es runden die Winde die Segel
   Und das Schiff fragt nicht lange: Wohin?

Schwester, aus was für einem Holze
Bist du gemacht, daß du dir was vergibst?
Was ist mit deiner Scham und was mit deinem Stolze?
Ach, danach fragst du nicht mehr, wenn du einmal liebst!
   Es folgt dem Hirsche die Hirschkuh
   Und dem Löwen die Löwin ins Feld
   Und es folgt dem Geliebten das liebende Weib
   Wohl bis ans Ende der Welt.

Vom Glück des Gebens

Höchstes Glück ist doch, zu spenden
Denen, die es schwerer haben
Und beschwingt, mit frohen Händen
Auszustreun die schönen Gaben.

Schöner ist doch keine Rose
Als das Antlitz des Beschenkten
Wenn gefüllet sich, o große
Freude, seine Hände senkten.

Nichts macht doch so gänzlich heiter
Als zu helfen allen, allen!
Geb ich, was ich hab, nicht weiter
Kann es mir doch nicht gefallen.

1

Oh, die unerhörten Möglichkeiten
Wenn man Frauen um die Hüften nimmt
Zwischen Schenkeln sanft im Abwärtsgleiten
Durch das grüne Meer der Wollust schwimmt.

2

Oder Schnaps trinkst in den Schmutzspelunken
Und die Reden in den Himmel knallst
Alle, alle liebst ganz rasend, trunken!
Und mit Singen auf den Boden fallst.

3

Oh, ich sage nicht, daß nur in Schenken
Höchste Seligkeit mich ganz durchriß
Einst war Sitzen schön in Kirchenbänken
Wo der Segen mich zum Himmel schmiß!

4

Auch auf wilden Abendkarussellen
Wo man billig rasend schaukeln darf
War ich selig, wenn ich mich in hellen
Billig strahlendhellen Himmel warf!

5

Auch im Gras, ganz faul und schwer wie Eisen
Wo man gar nichts weiter denken muß
Als: warum die Gräser nackte Leiber beißen
Macht das Leben ganz im Ernst Genuß!

6

Auch in Betten in ein Weib verknächelt
Zwischen schlanke Beine hingestreckt
Wie er atmet, Freunde! Wie er lächelt
Wenn er sich, um groß zu werden, reckt!

7

Aber welch orangene Seligkeiten
Hat der bloße Himmel, wenn man nackt
Im Geäst der hohen Bäume reiten
Kann, daß man den Wind wie Weiber packt.

8

Oder wenn dich tolle Strudel reißen
Wenn du sinnlos auf dem Rücken liegst
Daß du meinst, daß du im Himmel fliegst
Blau und weit, wo um dich Wolken kreisen
Wenn du dich, die sanfte Taube, wiegst.

9

Seht, wir wissen, Freunde, daß das alles
Nackter Schwindel ist und untergeht
Doch auch dieses: daß man besten Falles
Eines Morgens nimmer oben steht . . .

10

Was man haben kann an blauem Himmel
Wind und Mensch, reicht nicht einmal zur Not –
Und auch dieses kriegen nur die Lümmel
Und es reicht nicht und wird schnell zu Kot.

Doch wer dich nicht griff mit Fluch und Morden
Hat in reinen Händen nichts, sagt Baal –
Denn ihr sterbt, bevor es schal geworden
Und ihr sterbt vor eurer letzten Qual.

Das dreizehnte Sonett

Das Wort, das du mir oft schon vorgehalten
Kommt aus dem Florentinischen, allwo
Die Scham des Weibes Fica heißt. Sie schalten
Den großen Dante schon deswegen roh
Weil er das Wort verwandte im Gedichte.
Er wurd beschimpft drum, wie ich heute las
Wie einst der Paris wegen Helenas
(Der aber hatte mehr von der Geschichte!)

Jedoch du siehst jetzt, selbst der düstere Dante
Verwickelte sich in den Streit, der tobt
Um dieses Ding, das man doch sonst nur lobt.
Wir wissen's nicht nur aus dem Machiavelle:
Schon oft, im Leben wie im Buch, entbrannte
Der Streit um die mit Recht berühmte Stelle.

Das fünfte Sonett

So wie man Preise hochtreibt auf dem Markt
Indem man auf die vielen Käufer weist
Zeigt manches Weib, wie man sich um sie reißt.
Ich find es richtig, daß man's ihr verargt.

Sie sollte es nicht tun. Sie sollte zeigen
Daß sie nicht mehr die Wahl hat. Und gewählt ist.
Wenn nicht mit ihm, dann mit dem Nichts vermählt ist.
Als gäb's für sie, wenn er nicht spräch, nur Schweigen.

Möglich, daß sie ihn durch Entweichen hält
Doch es verführt ihn mehr, daß sie ihn braucht!

Auch muß sie wissen: wer in Feuer faucht
Der macht, daß es sich mehrt und dann erlischt.
Der wünsch ich nur, daß sie nicht Durst befällt
Die da so im betrübten Wasser fischt!

Sonett Nr. 15
(Über den Gebrauch gemeiner Wörter)

Mir, der ich maßlos bin und mäßig lebe
Gestattet, Freunde, es euch zu verweisen
Mit rohen Wörtern so um euch zu schmeißen
Als ob es daran keinen Mangel gäbe!

Beim Vögeln können Wörter Lust erregen:
Den Vögler freut es, daß das »vögeln« heißt.
Wer mit dem Wort zum Beispiel um sich schmeißt
Soll sich auf löchrige Matratzen legen.

Die reinen Vögler sollte man nur henken!
Wenn sich ein Weib mitunter auspumpt: gut.
Den Baum spült sauber keine Meeresflut!

Nur nicht dem Geiste eine Spülung machen!
Die Kunst der Männer ist's: vögeln und denken.
(Der Männer Luxus aber ist's: zu lachen.)

Forderung nach Kunst

Die Gute, die dem Liebsten nichts verwehrt
Und sich ihm hingibt für den Fall des Falles
Muß wissen: Guter Wille ist nicht alles
Begabung ist's, was er von ihr begehrt.

Selbst wenn da mit der Schnelligkeit des Schalles
Ihr Ichbindein sich in den Beischlaf kehrt
Er legt so viel nicht auf die Eile wert
Bei der Entleerung seines Samenballes.

Wenn auch die Liebe erst das Feuer schürt
So braucht sie doch, um dann zu überwintern
Durchaus auch noch den talentierten Hintern.
Mehr nämlich als ein seelenvoller Blick
(Der auch vonnöten) ist da oft ein Trick
Prächtiger Schenkel, prächtig ausgeführt.

Über die Verführung von Engeln

Engel verführt man gar nicht oder schnell.
Verzieh ihn einfach in den Hauseingang
Steck ihm die Zunge in den Mund und lang
Ihm untern Rock, bis er sich naß macht, stell
Ihn das Gesicht zur Wand, heb ihm den Rock
Und fick ihn. Stöhnt er irgendwie beklommen
Dann halt ihn fest und laß ihn zweimal kommen
Sonst hat er dir am Ende einen Schock.

Ermahn ihn, daß er gut den Hintern schwenkt
Heiß ihn dir ruhig an die Hoden fassen
Sag ihm, er darf sich furchtlos fallen lassen
Dieweil er zwischen Erd und Himmel hängt –

Doch schau ihm nicht beim Ficken ins Gesicht
Und seine Flügel, Mensch, zerdrück sie nicht.

Sauna und Beischlaf

Am besten fickt man erst und badet dann.
Du wartest, bis sie sich zum Eimer bückt
Besiehst den nackten Hintern, leicht entzückt
Und langst sie, durch die Schenkel, spielend an.

Du hältst sie in der Stellung, jedoch später
Sei's ihr erlaubt, sich auf den Schwanz zu setzen
Wünscht sie, die Fotze aufwärts sich zu netzen.
Dann freilich, nach der Sitte unsrer Väter
Dient *sie* beim Bad. Sie macht die Ziegel zischen
Im schnellen Guß (das Wasser hat zu kochen)
Und peitscht dich rot mit zarten Birkenreisern
Und so, allmählich, in dem immer heißern
Balsamischen Dampf läßt du dich ganz erfrischen
Und schwitzt dir das Geficke aus den Knochen.

Ratschläge einer älteren Fose an eine jüngere

1

Wenn ich dir sag, wie man als Fose liebt
So hör mir zu mit Fleiß und ohn Verdruß
Weil ich schon lang durch Kunst ersetzen muß
Was dir die Jugend einige Zeit noch gibt.
    Doch wisse, daß du desto jünger bleibst
    Je weniger mechanisch du es treibst.

2

Mit Faulheit ist's bei jedem gleich verhunzt
Riskier nur, daß er dich zusammenstaucht
Und er, wenn du ihn fickst, daß dir die Fotze raucht
Stinkfaul am Arsch liegt und: »Mehr Demboh!« grunzt.
    Und nennt der Herr die beste Arbeit schlecht
    Halt deinen Rand: der Herr hat immer recht.

3

Klug mußt du sein, wie Pfaffen, nur genauer
Sie zahlen dir nicht das für dich Bequeme!
Und ihre Schwänze sind für dich Probleme
Genau wie Pfeifen für den Orgelbauer.
    Jung ahnt man nicht, was alles daran hängt
    Doch was ist eine Fose, die nicht denkt?

4

Was seinem Weib nicht frommt, der Fose frommt's
Drum – mußt du ihn hereinziehn auch am Strick –
Seufz, wenn er drinnen ist: »Ihrer ist dick!«
Und wenn's ihm kommt, dann stöhne schnell:
    »Mir kommt's!«
    Denn bei den Jungen grad wie bei den Alten
    Du mußt sie immerfort im Aug behalten.

5

Sag ihm, es macht dich geiler, wenn der Herr
Dein Ohr leckt. Leckt er's, stöhn:»Ich bin so scharf!«
Und glaubt er's, stöhn:»Ich bitt, daß ich mich strecken darf!«
Und dann:»Entschuldigen Sie, ich bin so naß parterre.«
Daß ihr ein Herz und eine Seele schient
Er zahlt dafür, daß er dich gut bedient.

6

Nicht immer ist es schmackhaft, ungesalzen
Sich einen bärtigen Schwanz ins Maul zu stecken
Und ihn, als wär es Lebertran, zu lecken
Doch oft ist's saubrer, ihn dort zu umhalsen.
Und er verlangt nicht nur, daß er genießt
Sondern auch, daß du selbst erregt aussiehst.

7

Wenn du es je nicht schaffst, dich aufgeregt zu stellen
Halt deinen Atem an, als sitzst du auf dem Topf
Dann scheint's, als steige dir das Blut zu Kopf
Bequemer ist's, als wie ein Fisch zu schnellen.
Auch einen sanften Mann kannst du empören
Denkst du an Dinge, die nicht hergehören.

8

Vergiß nie, daß es sich um Liebe handelt
Vergißt du's doch, so fall nicht gleich aufs Maul
Und mache aus dem Saulus einen Paul
Ein Finger im Arsch hat manchen schon gewandelt.
Du hast noch nicht erlebt, was ihrer harrt
Der Fosen ohne Geistesgegenwart.

9

Für unsereinen ist es eine harte Nuß
Sieht sie, daß ihre Fotz zu weit wird (wie bei mir)
So daß ein Mann gar nichts mehr spürt bei ihr
Und sich um den Schwanz ein Handtuch wickeln muß.
    So eine muß beizeiten daran denken
    Ob ihr die Gäule was fürs Vögeln schenken.

10

Die Bürgermädchen, die auf Gartentischen
Die älteren Brüder längst zusammenhaun
Machen die Fotze enger mit Alaun
Um sich für ewig einen Mann zu fischen.
    Wo's angebracht ist, richte dich nach denen
    Und: was ist eine Fose ohne Tränen?

11

Sehr viele Männer vögeln gern Gesichter
Das Weib muß oben so wie unten naß sein
Bei einem solchen darf es für das Weib kein Spaß sein
Er selbst erscheint sich um so ausgepichter.
    Vor diesen also heuchle ruhig Qualen
    Wo's angebracht ist. Denn auch diese zahlen.

12

Der Herr weiß selber selten, was er will
Du mußt es wissen! Tritt er in die Kammer
Weißt du: ist er heut Amboß oder Hammer?
Werd *ich* gevögelt, hält *er* heute still?
    Die Menschen zu erkennen, ist die Kunst
    Das muß so spielend gehn wie eine Brunst.

Die schlimmsten Leute sind die klugen Leute
Ich hätt oft lieber doch mit einem Hund geschlafen
Die klugen Leute, du, sind unsere Strafen
Die graben sich ein, das seh ich an mir heute.
    Ich selbst, obgleich ich nie, was ich tat, gern getan
    Ich tat doch keinem etwas Kluges an.

Doch wisse, daß ich selber mich verachte!
Wenn du, nachdem du lustlos unter Männern lagst
Einmal nicht ganz im Dreck verrecken magst
So mach es anders, als ich selbst es machte.
    Wenn du einmal was Kluges findst, dann tu's
    Hab ich es nicht geschafft, vielleicht schaffst du's.

Letztes Liebeslied

Als die Kerze ausgebrannt war
Blieb uns nur ein kalter Stumpen
Als der Weg zu End gerannt war
Schimpften wir uns wie zwei Lumpen.
Beatrice war gestellet
Spitzel wurde ihr Begleiter
Tatbestand ward aufgehellet
Statt der Schwüre floß der Eiter.
Alle Himmel aufzureißen
Nur dem Haß wurd's zum Gewinne
Hinz und Kunz, die großen Weisen
Wußten dies von Anbeginne.

Sonett Nr. 9
(Über die Notwendigkeit der Schminke)

Die Frauen, welche ihren Schoß verstecken
Vor aller Aug gleich einem faulen Fisch
Und zeigen ihr Gesicht entblößt bei Tisch
Das ihre Herren öffentlich belecken

Sie geben schnell den Leib dem, der mit rauher
Hand lässig ihnen an den Busen kam
Schließend die Augen, stehend an der Mauer
Sehen sie schaudernd nicht, welcher sie nahm.

Wie anders jene, die mit leicht bemaltem Munde
Und stummem Auge aus dem Fenster winkt
Dem, der vorübergeht, und sei es einem Hunde.

Wie wenig lag doch ihr Gesicht am Tage!
Wie höflich war sie doch, von der ich sage
Sie muß gestorben sein: sie ist nicht mehr geschminkt!

Sonett Nr. 10
(Von der Scham beim Weibe)

Ich lieb es nicht, wenn Weiber lange brauchen
Denn mir gefällt, die unersättlich kam
Und rasch gestillt wird ihre schnelle Scham
Zwischen Durst und Abwehr pausenlos verhauchen.

Der Liebesakt muß sie von Grund verändern
Bis zur Entstellung! Mit vermischten Leibern
Sei'n bei den Männern und sei'n bei den Weibern
Die Köpfe so entfernt wie in verschiedenen Ländern.

Zu große Scham, dem Mann ans Fleisch zu greifen
Zu große Lust, es ganz sich zu verkneifen
Das Weib soll sein an seiner Lust gemessen.

Zu schön, sich nicht zum Warten zu bequemen
Zu unersättlich, nicht alles zu nehmen
Ist es gestattet ihr, sich zu vergessen.

Sonett Nr. 12
(Vom Liebhaber)

Gestehn wir's: leider sind wir schwach im Fleische!
Ich, seit ich meines Freundes Frau geschwächt
Meid ich mein Zimmer jetzt und schlafe schlecht
Und merke nachts: ich horche auf Geräusche!

Dies kommt daher, weil dieser beiden Zimmer
An meines stößt. Das ist es, was mich schlaucht
Daß ich stets höre, wenn er sie gebraucht
Und hör ich nichts, so denk ich: desto schlimmer!

Schon abends, wenn wir drei beim Weine sitzen
Und ich bemerke, daß mein Freund nicht raucht
Und ihm, wenn er sie sieht, die Augen schwitzen

Muß ich ihr Glas zum Überlaufen bringen
Und sie, wenn sie nicht will, zum Trinken zwingen
Damit sie nachts dann nichts zu merken braucht.

Liebesgewohnheiten

Es ist nicht so, daß der Genuß nur bleibt.
Oftmals verspürt, steigt er noch oftmals an.
Das noch einmal zu tun, was wir schon oft getan
Das ist es, was uns so zusammentreibt.

Dies kleine Zucken deines Hintern, längst
Erwartet schon! Oh, deines Fleisches List!
Dies angenehme, was das Zweite ist
Wonach du mit erstickter Stimme drängst!

Dies Aufgehn deiner Knie! Dies sich Begattenlassen!
Dies Zittern dann, durch das mein Fleisch erfährt
Daß kaum gestillte Lust dir wiederkehrt!
Dies faule Drehn! Dies lässig nach mir fassen
Wenn du schon lächelst!
                          Ach, so oft man's tut:
Wär's nicht schon oft getan, wär's nicht so gut!

Liebesunterricht

Aber, Mädchen, ich empfehle
Etwas Lockung im Gekreisch:
Fleischlich lieb ich mir die Seele
Und beseelt lieb ich das Fleisch.

Keuschheit kann nicht Wollust mindern
Hungrig wär ich gerne satt.
Mag's wenn Tugend einen Hintern
Und ein Hintern Tugend hat.

Seit der Gott den Schwan geritten
Wurd es manchem Mädchen bang
Hat sie es auch gern gelitten:
Er bestand auf Schwanensang.

Empfehlung eines langen, weiten Rocks

Und wähl den bäuerlichen weiten Rock
Bei dem ich listig auf die Länge dränge:
Ihn aufzuheben in der ganzen Länge
An Schenkeln hoch und Hintern, gibt den Schock.
Und wenn du hockst auf unsrer Ottomane
Laß ihn verrutschen, daß in seinem Schatten

Durch den Tabakrauch wichtiger Debatten
Dein Fleisch mich an die gute Nacht gemahne.

Doch sind es nicht nur niedere Gelüste
Die mich nach solchem Rocke schreien lassen:
Du gehst drin schön, wie einst durch Kolchis Gassen
Medea, als den Korb sie meerwärts trug. –
Doch wenn ich keine andern Gründe wüßte:
Wähl solchen Rock! Die niedern sind genug.

Das sechste Sonett

Als ich vor Jahr und Tag mich an dich hing
War ich darauf nicht allzu sehr erpicht:
Wenn man nicht wünscht, vermißt man vielleicht nicht
Gab's wenig Lust, ist auch der Gram gering.

Und besser ist: kein Gram als: viele Lust
Und besser als verlieren: sich bescheiden.
Der Männer Wollust ist es: nicht zu leiden.
Gekonnt ist gut, doch allzu schlimm: gemußt.

Natürlich ist das eine schäbige Lehre
Der war nie reich, der niemals was verlor!
Ich sag auch nicht, daß ich verdrießlich wäre . . .

Ich meine nur: wenn einer an nichts hinge
Dem stünd auch keine schlimme Zeit bevor.
Indessen sind wir nicht die Herrn der Dinge.

Das siebente Sonett

Ich riete dir, dich mir zu überlassen
Und keinen Handel mehr mit dir zu treiben
Doch fürchte ich, du sagst: das laß ich lieber bleiben
Wenn ich das tät, das könnte dir so passen!

Daß du mich dann behandelst wie ein Essen
Das außer *einem* keine Esser hat:
Er schiebt's vom Teller, denn er ist ja satt.
Was keiner stehlen kann, wird leicht vergessen!

Ich denke so: nach dem Gesetz der Märkte
Das vorschreibt, den Geschlechtsteil auszunützen
Bestünd hier ein Verdacht, den solch ein Rat verstärkte . .

Dein Rat mag gut sein, wirst du sagen, schad
Er ist verdächtig, auch zu unterstützen
Der ihn mir gibt. Gut, ich verschweig den Rat.

Das dritte Sonett

Als ich schon dachte, daß wir einig wären
Gebrauchte ich, fast ohne drauf zu achten
Die Wörter, welche meinten, was wir machten
Und zwar die allgemeinsten, ganz vulgären.

Da war's, als ob von neuem du erschrakst
Als sähst du jetzt erst, was das, was wir machten, sei
In vielen Wochen, die du bei mir lagst
Lehrt ich von diesen Wörtern dir kaum zwei.

Mit solchen Wörtern rufe ich den Schrecken
Von einst zurück, als ich dich frisch begattet.
Es läßt sich länger nunmehr nicht verdecken:
Das allerletzte hast du da gestattet!
Wie konntest du dich nur in so was schicken!
Das Wort für das, was du da tatst, war:

Sagte mir einst eine Frau beim Beginne:
Was sie beim Künstler so wenig verschmerzen
Sei, daß er immer die Frau über seiner Liebe vergesse.
Weihrauch bringt ihr uns. Weihrauch und – Kerzen.
Und wir erregen statt eure Sinne –
Nur Interesse.

Sage ich: Leute ohne Charakter . . .
Unterbricht sie: Sind wie im Bett ein Nackter.
Auf der Straße will man ihn freilich bekleidet.
Sag ich: Bei euch schwingen die Gäule die Peitsche über den,
    der sie reitet.
Sagt sie: Eine Peitsche fällt guten Reitern zur Last.
Kurz: Solang du noch einen Charakter hast
Bist du noch nicht genügend verliebt
Daß du verdienst, daß sie sich dir gibt!

Sonett Nr. 3

Nach einer mittelalterlichen Legende
verkauften sechs italienische Jungfrauen,
um ins gelobte Land zu kommen,
ihren Leib an die Schiffsbesatzung.

Dem Weibe gleich, das ins gelobte Land
Zu kommen, seinen Leib den Schiffern ließ
Und hoffte einzufahren in das Paradies
Mit zwanzig Schifferschwänzen in der Hand!

So tun auch wir. Mit solchem Ungefähr
Beflecken wir den untauschbaren Leib
Und brauchen zu der Waschung wie das Weib
Am End ein ganzes winterliches Meer.

So kommen wir nach manchem Unternehmen
Und machen halt am Meer zur linken Hand
Und tauchen auf, um unsern Gott zu überraschen:
Seht doch, dort kommen meine Unbequemen
Mein ganzes Meer reicht nicht mehr, sie zu waschen
So stehn sie gegen mich im Zeugenstand.

1

Seine Muße zu genießen
Ruht der Himmlische im Pfühl
Schöne Blumen sieht er sprießen
Und der Irdischen Gewühl.

2

Doch die Glieder aufzufrischen
Zu verwandeln in Gefühl:
Liebe kommt auf zauberischen
Flügeln sanft auf seinen Pfühl.

3

Ach, wie bald verfliegt die Liebe
Bald die Zeit der leichten Art
Von Gefühlen bleiben Triebe
Und hinunter geht die Fahrt.

4

Und des Alterns Weisheit breitet
Fittich übern Abgrund hin
Selig, wer am Abend leidet
Weil am Tag die Sonne schien.

5

Wo die leichten Kähne schaukeln
Leuchtet Himmel von Kurrunt
Schwarze Wogen, die sie schaukeln
Ziehen die Musik zu Grund.

Daß er nicht geblendet werde
Blendet er das starke Licht
Zwischen Himmel, Höll und Erde
Schaukelt er im Gleichgewicht.

Gegen Verführung

1

Laßt euch nicht verführen!
Es gibt keine Wiederkehr.
Der Tag steht in den Türen;
Ihr könnt schon Nachtwind spüren:
Es kommt kein Morgen mehr.

2

Laßt euch nicht betrügen!
Daß Leben wenig ist.
Schlürft es in schnellen Zügen!
Es wird euch nicht genügen
Wenn ihr es lassen müßt!

3

Laßt euch nicht vertrösten!
Ihr habt nicht zu viel Zeit!
Laßt Moder den Erlösten!
Das Leben ist am größten:
Es steht nicht mehr bereit.

4

Laßt euch nicht verführen
Zu Fron und Ausgezehr!
Was kann euch Angst noch rühren?
Ihr sterbt mit allen Tieren
Und es kommt nichts nachher.

Keinen verderben zu lassen, auch nicht sich selber
Jeden mit Glück zu erfüllen, auch sich, das
Ist gut.

Schluß-Wort

Das Frühjahr

1

Das Frühjahr kommt.
Das Spiel der Geschlechter erneuert sich
Die Liebenden finden sich zusammen.
Schon die sacht umfassende Hand des Geliebten
Macht die Brust des Mädchens erschauern.
Ihr flüchtiger Blick verführt ihn.

2

In neuem Lichte
Erscheint die Landschaft den Liebenden im Frühjahr.
In großer Höhe werden die ersten
Schwärme der Vögel gesichtet.
Die Luft ist schon warm.
Die Tage werden lang und die
Wiesen bleiben lang hell.

3

Maßlos ist das Wachstum der Bäume und Gräser
Im Frühjahr.
Ohne Unterlaß fruchtbar
Ist der Wald, sind die Wiesen, die Felder.
Und es gebiert die Erde das Neue
Ohne Vorsicht.

Anhang

Anmerkungen

S. 7 Sehet die Jungfrauen und sehet die Blüte. Das Zitat ist dem Gedicht *Die Jungfraunballade (S. 20)* entnommen.

S. 9 Melindas Lied. Geschrieben für »Pauken und Trompeten«, die Bearbeitung des Stückes »The Recruiting Officer« von George Farquhar (1955).

S. 10 Goldene Früchte hängen. Vermutlich 1914 entstanden, auf die Rückseite des Vorsatzpapiers von Kants »Kritik der reinen Vernunft« geschrieben.

S. 11 Laß auch das Gras bedeuten. In Kimratshofen geschrieben, wo sich Brecht zu einem Besuch seines Sohnes Frank Banholzer aufhielt (27. 5. 1920).

S. 12 Lied von Liebe. Aus den »Liedern zur Klampfe von Bert Brecht und seinen Freunden« (1918), mit Noten überliefert. Brechts Freund Rudolf Prestel teilte eine Fassung mit folgenden zusätzlichen Verszeilen mit: »Tine Tippe ging in die Ehe / Und Heider Hei nach Amerika . . .«.

S. 13 Das Pflaumenlied. Das Lied der Branntweinemma stammt aus dem Stück »Herr Puntila und sein Knecht Matti« und wurde 1948 in das Stück eingefügt.

S. 14 Der Fluß lobsingt die Sterne im Gebüsch. Geschrieben am 27. 4. 1920. *S. 15 Dunkel im Weidengrund* und *Psalm im Frühjahr (S. 16)*. Beide Gedichte entstanden 1920.

S. 17 Liebeslied. (Etwa 1918)

S. 18 Tanzlied. Gehört zu einer Sammlung von Gedichten aus dem Jahre 1917, die Brechts Freund Münsterer zusammengestellt hat.

S. 19 Als ich ging nach Saint-Nazaire. Das Lied wurde für das Stück »Die Gesichte der Simone Machard« geschrieben (1942).

S. 20 Die Jungfraunballade. Der Song ist die Bearbeitung eines Liedes aus John Gays »Beggar's Opera« (1928) für die »Dreigroschenoper«. Brecht tauschte es dann gegen den »Song vom Nein und Ja« (Barbara-Song, siehe S. 73 dieses Bandes) aus.

S. 21 Was brauchen den Dirnen die Stirnen breit sein. (Vor 1920).

S. 23 Komm, Mädchen, laß dich stopfen. Gedichtentwurf (1919).

S. 25 Durch die Kammer ging der Wind. Ursprünglich für »Baal«, Nachtcafé, vorgesehen (21. 1. 1920).

S. 26 Liebe Marie, Seelenbraut. (21. 1. 1920)

S. 27 Schöne Nelke an dem Busen. Das Gedicht ist mit einer Notenskizze überliefert (etwa 1918).

S. 28 Beuteltier mit Weinkrampf. Dem Freund Otto Bezold gewidmet (1919).

S. 29 Orgelt Heigei Gei sein Kyrieleis. Gedichtentwurf (1920).

S. 30 Morgen auf dem Berg Ararat. Gedichtfragment (1920).

S. 31 Das gute Zeitalter. (Etwa 1923)

S. 32 Keuschheitsballade in Dur. Das Lied gehört zur Sammlung »Lieder zur Klampfe von Bert Brecht und seinen Freunden« (1918) und wurde später in den Einakter »Die Kleinbürgerhochzeit« eingefügt. Es ist mit Noten von Brecht überliefert.

S. 34 Und als sie wegsah in das Violette. Fragmentarisches Gedicht (1919).

S. 35 Von dem Gras und Pfefferminzkraut. (1920)

S. 36 Oh, du ahnst nicht, was ich leide. Gehört zur Gruppe von Gedichten, die Brechts Freund Münsterer sammelte (1917).

S. 37 Was druckt es keiner von euch in die Zeitung. Gedichtentwurf (1922).

S. 38 Baals Lied. Aus der Sammlung »Lieder zur Klampfe von Bert Brecht und seinen Freunden«, mit Noten überliefert, nach einem handschriftlichen Vermerk am 7. 7. 1918 zusammen mit Ludwig Prestel geschrieben.

S. 39 Es wird von einem Vorbild gesprochen. (1923)

S. 41 Meine Herren, mein Freund . . . Das Zitat ist dem
»Mahagonny«-Lied *Meine Herren, meine Mutter prägte
(S. 52)* entnommen.

S. 43 Drittes Lied des Glücksgotts. Das Gedicht gehört zu den
Liedern aus »Reisen des Glücksgotts« (1943).

S. 44 Über die Vitalität. Nach Angaben Brechts ist das Lied,
zu dem auch ein Notenentwurf vorliegt, »auf den Ton h«
zu singen (Januar 1920).

S. 45 Ballade von der menschlichen Stärke. (1921)

S. 46 Wahre Ballade von einem Weib. (Etwa 1920)

S. 47 Lied der liebenden Witwe. Das Gedicht stammt aus
dem Stückfragment »Freuden und Leiden der kleineren
Seeräuber«.

S. 48 Katharina im Spital. (Etwa 1922)

S. 49 Lied der verderbten Unschuld beim Wäschefalten. Das
Gedicht war in der ersten Fassung von Brecht mit dem
Titel versehen: »Lied eines Mädchens beim Wäschefalten«
(1921).

S. 52 Meine Herren, meine Mutter prägte. Das Lied wurde für
die Oper »Aufstieg und Fall der Stadt Mahagonny« geschrieben.

S. 53 Seit meiner Kindheit galt es ungebührlich. Das Gedicht
stammt aus dem »Fatzer«-Material (etwa 1927).

S. 54 Wenn's einer Hur gefällt. Bearbeitung eines Songs aus
John Gays »Beggar's Opera«, der später durch das Erste
Dreigroschen-Finale ersetzt wurde (1928).

S. 55 Wenn sie trinkt, fällt sie in jedes Bett. (1937)

S. 56 Und ich schlug der alten Schlumpen. (Ende der zwanziger Jahre)

S. 57 Sonett über einen durchschnittlichen Beischlaf. Gehört zu
den frühen Augsburger Sonetten (1925-1927).

S. 58 Das neunte Sonett. Dieses Sonett gehört zu einer
anderen Gruppe von Sonetten (1933-1935).

S. 59 Ballade von der Traurigkeit der Laster. Das Gedicht
schrieb Brecht bei einem Aufenthalt im südfranzösischen
Badeort Les Lecques/St. Cyr, wo er mit Kurt Weill an der
»Dreigroschenoper« arbeitete (1928).

S. 61 Über den Verfall der Liebe. Das Gedicht entstand, als
Brecht beabsichtigte, einen Band mit Novellen unter dem
Titel »Jedes Tier kann es« zusammenzustellen (1938).

S. 62 Das Gehaben der Märkte. Gedichtfragment (wahr-
scheinlich Ende der 20er Jahre).

S. 63 Sie sagt, sie sei die treuste Frau der Welt. Das Lied ist mit
einer Notenskizze überliefert (etwa 1925). Die hier vorge-
legte Textfassung weicht in der ersten Verszeile und in der
Auszeichnung des Kehrreims von bisherigen Druckfas-
sungen ab und folgt dem Typoskript Brechts.

S. 65 Balaam Lai im Juli. Das Gedicht gehört zu einer
Gruppe von Anna-Gewölke-Gedichten (etwa 1921).

S. 67 Balaam Lai in seinem dreißigsten Jahr. Gehört gleichfalls zu den Anna-Gewölke-Gedichten (siehe auch S. 123
dieses Bandes).

S. 69 Denn wir sagen uns: In diesem traurigen Leben . . . Das
Zitat ist dem *Ehesong (S. 80)* entnommen.

S. 71 Das Lied vom Surabaya-Johnny. Das Lied wurde etwa
1925 geschrieben und später im Stück »Happy End«
verwendet.

S. 73 Der Barbara-Song. Für die »Dreigroschenoper« geschrieben (1928).

S. 75 Ballade von der Hanna Cash. (1921)

S. 78 Erinnerung an eine M. N. (Etwa 1930)

S. 80 Der Ehesong. Für die »Dreigroschenoper« geschrieben. Es sollte von Macheat (1. Strophe) und Polly
(2. Strophe) nach deren Hochzeit in angetrrunkenem
Zustand gesungen werden (1928).

S. 82 Das Hochzeitslied für ärmere Leute. Für die »Dreigroschenoper« geschrieben (1928).

die der Song geschrieben ist, singt Macheath die erste Strophe, Jenny die zweite, die dritte Strophe wird von den Darstellern im Wechsel gesungen (1928).

S. 108 Gedanken eines Revuemädchens während des Entkleidungsaktes. (1935)

S. 109 Lala. Von Elisabeth Hauptmann wurde in der ersten Verszeile das von Brecht verwendete Wort »lie« nachträglich zu »Lilie« ergänzt. (Etwa 1923)

S. 110 Lied des Freudenmädchens. Das Gedicht, das für das Stück »Die Rundköpfe und die Spitzköpfe« geschrieben wurde, trug ursprünglich den Titel »Nannas Lied« (1936).

S. 113 Das ist schade, daß es vergangen ist. Das Zitat ist dem Gedicht *von einer Jugendgeliebten (S. 125)* entnommen.

S. 115 Es war leicht, ihn zu bekommen. Gehört zur Sammlung »Lesebuch für Städtebewohner« (um 1926).

S. 117 Die Ballade vom Liebestod. (Etwa 1920)

S. 120 Vor Jahren in meiner verflossenen Arche. Das Gedicht (1920) wird in der von Herta Ramthun aufgefundenen vollständigen Fassung wiedergegeben.

S. 122 Vom ertrunkenen Mädchen. In das Stück »Baal« aufgenommen (1920).

S. 123 Ballade vom Tod des Anna-Gewölke-Gesichts. Der Titel des Gedichts weicht von bisherigen Falschschreibungen ab und folgt dem Manuskript Brechts (etwa 1919).

S. 125 Von einer Jugendgeliebten. (Etwa 1922)

S. 126 An M. (Etwa 1922)

S. 128 Einmal nur über dem Pfühle. (Etwa 1936)

S. 129 Immer wieder. Das Gedicht gehört zur Sammlung »Lesebuch für Städtebewohner« (um 1926).

S. 130 Zieh ins Feld ich traurig meiner Straßen. Nach slowakischen Volksliedern für den »Kaukasischen Kreidekreis« geschrieben (1944).

S. 131 Der abgerissene Strick kann wieder geknotet werden. Aus dem »Me-ti«-Material (1940).

S. 132 Es dauerte lange, bis ich damit versöhnt war.
Gedichtentwurf (1933/1934).

S. 133 Ich habe dich nie je so geliebt, ma sœur. (1920)

S. 134 Zum vierten Male teilst du mir mit. (Etwa 1938)

S. 135 Erinnerung an die Marie A. Mit der Überschrift
»Sentimentales Lied No. 1004« von Brecht in der ur-
sprünglichen Fassung auf den 21. 2. 1920, »abends 7 h im
Zug nach Berlin« datiert.

S. 136 Von He (9. Psalm). Der Psalm war ursprünglich mit
dem Titel »Von den Weibern« überschrieben (1920).

S. 137 Ballade vom Förster und der Gräfin. Aus »Herr Puntila
und sein Knecht Matti«, ursprünglich überschrieben mit
»Lied des roten Surkela« (1948).

S. 139 Du weißt es, wer gebraucht wird . . . Dem *Sonett Nr. 19
(S. 159)* entnommen.

S. 141 Die Liebenden. Aus der Oper »Aufstieg und Fall der
Stadt Mahagonny«, dort von Jenny und Paul im Dialog
gesungen (1928).

S. 142 Ich will mit dem gehen, den ich liebe. Aus »Der gute
Mensch von Sezuan« (1940).

S. 143 Morgens und abends zu lesen. (1937)

S. 144 Allem, was du empfindest. (Etwa 1939)

S. 145 Als wir so lang getrennt wie vordem nie. Gedichtentwurf
(etwa 1936).

S. 146 Liebeslieder. (1950)

S. 148 Wie es war. Die beiden getrennt überlieferten Gedichte gleicher Überschrift wurden untereinander ange-
ordnet (50er Jahre).

S. 149 Schicke mir ein Blatt. (1955)

S. 150 Ach, wie sollen wir die kleine Rose buchen? (Etwa 1954)

S. 151 Das Lied vom kleinen Wind. Aus dem Stück
»Schweyk im zweiten Weltkrieg« (1943).

S. 152 Entdeckung an einer jungen Frau. (Etwa 1925)

S. 153 Das erste Sonett, Das zehnte Sonett (S. 154) und

Das achte Sonett (S. 155) sind alle 1933 geschrieben.

S. 156 Die Requisiten der Weigel. (1940)

S. 157 Das elfte Sonett. (Etwa 1933)

S. 158 Fragen. Gehört zur Gruppe der »Englischen Sonette« (1934).

S. 159 Sonett Nr. 19. (1939)

S. 160 Ardens sed virens. (August 1939)

S. 161 Geh ich zeitig in die Leere. (1950)

S. 162 Der Orangenkauf. Gehört zu den »Englischen Sonetten« (1934).

S. 163 Vergeblicher Anruf. (Etwa 1937)

S. 164 Bidi in Peking. (Etwa 1954)

S. 165 Schwächen. (1950)

S. 166 Der Abschied. Zu diesem Gedicht gibt es im Bertolt-Brecht-Archiv keinen Nachweis. Es wurde von Elisabeth Hauptmann aufgenommen und in Gedichte aus der Zeit von 1937 eingeordnet.

S. 167 Es ist viele Jahre her . . . Das Zitat ist dem *11. Psalm (Gesang von der Frau) (S. 183)* entnommen.

S. 169 Gesang von einer Geliebten (7. Psalm). Wie auch die anderen Psalmen (s. S. 136, 180, 182 und 183 dieses Bandes) 1920 geschrieben.

S. 170 Auch das Beschädigte. (25. 1. 1943)

S. 171 Sentimentales Lied Nr. 78. (1920)

S. 173 Und immer wieder gab es Abendröte. (1920)

S. 174 Sonett. Geschrieben in Baden-Baden (Juli 1925).

S. 175 Der Gast. (Etwa 1926)

S. 176 Das vierte Sonett. (1933)

S. 177 Liebeslied aus einer schlechten Zeit. (1939)

S. 178 Ach, nur der flüchtige Blick. (1954)

S. 179 Ein bitteres Liebeslied. Aus den »Liedern zur Klampfe von Bert Brecht und seinen Freunden«, mit Noten überliefert (1918).

S. 180 Gesang aus dem Aquarium (5. Psalm), Vision in Weiß

(1. Psalm) S. 182) und *Gesang von der Frau (11. Psalm)*
(S. 183). Alle Psalmen stammen aus einem Notizbuch
(1920).

S. 181 An Bittersweet. (31. 10. 1919)

S. 187 Die Geheimnisse des Liebeslebens. In »Turandot oder
Der Kongreß der Weißwäscher« kündigt der LIEBESLE-
BENTUI dieses Lied mit dem Titel an, der für diese Publikation gewählt wurde (1953). In den »Liedern aus Stücken«
wurde das Gedicht als letzte Strophe des Komplexes
»Ballade vom Wissen« (Titel und Zusammenstellung
nicht von Brecht) publiziert.

S. 188 Der Anstatt-daß-Song. Das Lied wird in der »Dreigroschenoper« wechselweise von Herrn und Frau Pea-
chum vorgetragen (1928).

S. 189 Viktorias Lied. Aus »Pauken und Trompeten«, der
Bearbeitung des Stückes »The Recruiting Officer« von
George Farquhar (1955).

S. 190 Vom Glück des Gebens. Das Gedicht trug ursprünglich die Überschrift »Lied des Darmwäschers« und wurde
für die Oper »Persische Legende« von Rudolf Wagner-
Régeny und Caspar Neher verwendet (etwa 1950).

S. 191 Oh, die unerhörten Möglichkeiten. Das Gedicht ist mit
einer Notenskizze überliefert (etwa 1918).

S. 194 Das dreizehnte Sonett und *Das fünfte Sonett (S. 195)*
gehören zur Gruppe der Sonette, die 1933/1934 entstanden.

S. 196 Sonett Nr. 15. Zu den frühen Augsburger Sonetten
gehörig (1925-1927).

S. 197 Forderung nach Kunst. (Etwa 1925)

S. 198 Über die Verführung von Engeln und *Sauna und Beischlaf*
(S. 199). Beide Sonette entstanden in Zürich und wurden
von Brecht scherzhafterweise mit »Thomas Mann« ge-
zeichnet (1948).

S. 200 Ratschläge einer älteren Fose an eine jüngere. (1927)

S. 204 Letztes Liebeslied. (Etwa 1937)

S. 205 Sonett Nr. 9, Sonett Nr. 10 und *Sonett Nr. 12 (S. 206 und 207).* Diese Sonette entstanden 1925-1927.

S. 208 Liebesgewohnheiten. Gehört zu den »Englischen Sonetten« und entstand 1934.

S. 209 Liebesunterricht. Das Gedicht entstand etwa 1945 und gehört zu den Liedern aus »Reisen des Glücksgotts«.

S. 210 Empfehlung eines langen, weiten Rocks. Brecht widmete das Gedicht Helene Weigel (etwa 1944).

S. 211 Das sechste Sonett, Das siebente Sonett (S. 212) und *Das dritte Sonett (S. 213).* Diese Gedichte entstanden in Svendborg (1933).

S. 214 Sagte mir einst eine Frau beim Beginne. In einem Brief an Caspar Neher aus Tegernsee mitgeteilt (September 1917).

S. 215 Sonett Nr. 3. Gehört zu den Sonetten, die in den Jahren 1925-1927 entstanden.

S. 216 Seine Muße zu genießen. Gedichtfragment (1920).

S. 218 Gegen Verführung. Das Gedicht trug ursprünglich die Überschrift »Lucifers Abendlied« (1920) und wurde in exponierter Stellung, als »Schlußkapitel«, in die »Hauspostille« übernommen.

S. 219 Keinen verderben zu lassen. Aus »Der gute Mensch von Sezuan« (1940).

S. 223 Das Frühjahr. Das Lied (1931) wurde für den Film »Kuhle Wampe oder Wem gehört die Welt?« verwendet und von Helene Weigel gesungen (1932).

Nachwort

1

Bertolt Brechts Gedichte über die Liebe stammen aus
allen Zeiten seines Lebens: die ersten schrieb der noch
unbekannte Augsburger Schüler, die letzten der schon
weltbekannte Dramatiker und Berliner Theaterleiter.
Das Thema der Liebe zu *einem* Menschen wiederholt sich
in gleicher Beständigkeit wie das Thema der Liebe zu den
Menschen, die aufgerufen sind, ihren Planeten »bewohn-
bar« einzurichten. Beide Themen bedingen sich, regen
sich an, schöpfen eins aus dem anderen. Der Mikrokos-
mos der individuellen Liebe beflügelt den Anspruch, auch
in der »großen Welt« unter menschlichen Bedingungen
Freundlichkeit und Frieden, Bewegung und Produktivi-
tät, Schönheit und Würde in das Zusammenleben der
Menschen zu bringen. Denn ohne solche Tugenden der
Verhältnisse leidet auch die Liebe zu einem Menschen. In
den »finsteren Zeiten« wird sie zur Beziehung, die sich
über Bezahlung und Ausbeutung reguliert, als »Ware«
Liebe, gleich ob in Form der Prostitution oder in Form der
bürgerlichen Ehe.

Brecht spannt das Thema weit. In seinem Nachlaß
breitet sich größere Fülle aus, als bisherige Gedichtausga-
ben vermuten ließen.

2

Als Brecht am 21. Februar 1920, 7 Uhr, im Zug nach
Berlin das später so berühmt gewordene Liebeslied »Erinnerung an die Marie A.« in sein Notizbuch schrieb, trug

es noch den Titel »Sentimentales Lied Nr. 1007«. Diese Erinnerung an eine vergangene Liebe verfremdete er auf der gleichen Seite des Notizbuches mit einem Zitat vom »Geh. Rat Kraus«, nach dem der Mann »im Zustand der gefüllten Samenblase in jedem Weibe Aphrodite« sieht. So tauchen von früh an sentimentaler und irdischer (um nicht zu sagen: naturwissenschaftlicher) Aspekt der Liebe gleichzeitig auf. Ihm war nichts fremd, und er kannte weder in der Betrachtung noch in der Beschreibung Tabus.

Einige der vulgären Darstellungen waren, wohl aus moralischen und persönlichen Rücksichten, zurückgehalten worden. Mit ihrer Publikation stellt sich das Thema Liebe bei Brecht freilich nicht anders dar, als man es schon kannte, es erhält aber mehr Vitalität und Kraft.

Da sentimentale und irdische Betrachtung – wie schon im Notizbuch von 1920 – gewissermaßen auf eine Seite gehören, also nicht voneinander getrennt gesehen werden können, war die Herausgabe der noch unveröffentlichten Gedichte nur im Verein mit den übrigen Liebesgedichten, lediglich als wichtige Ergänzung, denkbar.

3

Wie man weiß, kommt bei Lesern von Liebesgedichten mitunter Interesse auf, Beziehungen und Anlässe aufzuspüren, mit der Dichtung also die Wahrheit zu erfahren. Der Ausbruch Brechts aus der bürgerlichen Moral, der sich während des ersten Weltkriegs impulsiv vollzog, wirkte sich auch auf die Beziehung zu Frauen aus, die vielfältig und unbeständig war: »Der Teller von welchem du issest dein Brot / Schau ihn nicht lang an, wirf ihn fort!« Im Alter von 26 Jahren hatte er drei Kinder von drei

Frauen. »Die Affären verbrauchen mich«, mußte er schon fünf Jahre vorher gestehen. Es ist für diesen vitalen Mann schon erstaunlich, daß er sich schließlich dauerhaft mit einer Frau verbunden hat, und es gehört zu den ungewöhnlichen Leistungen von Helene Weigel, daß sie ihn über drei Jahrzehnte bis zu seinem Tod an ihrer Seite hielt. Neben anderen Qualitäten lag das ohne Zweifel an der Selbstlosigkeit ihrer Liebe und praktischen Hilfe sowie an der Großzügigkeit ihres Verständnisses für den großen Mann, dem sie schon in den zwanziger Jahren mit ihrem und seinem Kind die Atelierwohnung räumte, weil sie ihm gefiel, und die sich auch als schon berühmte Schauspielerin erheblich veränderte, bis ihre Kunst seinen hohen Ansprüchen genügte. In diesem Sinne spielte die Weigel in Brechts Leben als Frau die wichtigste und bedeutendste Rolle.

Andere Beziehungen zu Frauen werden in dem Band nicht aufgeklärt. Im Gegenteil, die Anordnung der Gedichte und die Anmerkungen dazu sind so gestaltet, daß Interessen in dieser Richtung nicht befriedigt werden. Die Liebesgedichte selbst werden als vielfältige Äußerung zum Thema beim Wort genommen.

4

Für die Anordnung der Gedichte bot sich Werden und Vergehen der Liebe in allen Stadien an: vom frühen Beginn bis zu ihrem Tod, gleichsam als Gedichte einer Lebens- und Gefühlsfolge. Die Grenzen zwischen den Kapiteln sind fließend, denn wie sachlich auch immer eine Ordnung gedacht ist: sie wird bei diesem Thema nicht völlig ohne subjektive Interpretation möglich sein.

Es wurde Wert darauf gelegt, daß sich die Gedichte,

die aufeinander folgen, vertragen, ergänzen, weiterleiten, ohne Rücksicht auf ihre Form und auf ihre Entstehungszeit. Dazu werden in den Anmerkungen Aufklärungen gegeben.

In den Band sind auch Gedichte aufgenommen, die aus Gründen ihrer Zugehörigkeit zu Stücken bisher nicht in Gedichtbänden Platz gefunden haben. Gedichte, für die Brecht keinen Titel vorgesehen hat, stehen im Band gleichfalls ohne Überschrift. Die Versaufteilung der Sonette folgt den Vorlagen Brechts.

Entscheidende und wertvolle Hinweise für Zusammenstellung und Auswahl der Gedichte gab Elisabeth Borchers, der dafür besonders zu danken ist.

24. April 1982   Werner Hecht

Inhalt

*Die kursiv gesetzten Gedichttitel werden erstmals 1982 veröffent-
licht. Die mit Sternchen versehenen Titel bezeichnen den Anfang des
Gedichts, für das von Brecht kein Titel vorgesehen wurde.*

Schluß-Wort

Anhang